논·술·한·국·대·표·문·학

55

왕오천축국전

혜초 | 김만중 | 최부 외

서포만필 · 표해록 · 요로원야화기 · 오륜행실도 · 동국세시기

H 훈민출판사

고구려의 무용총 벽화. 우리의 풍습과 의복은 삼국 시대로부터 비롯된 것이 많다.

The Best Korean Literature

인도의 타지마할. 〈왕오천축국전〉은 옛 인도의 다섯 나라에 대한 여행기이다.

널뛰기는 주로 설날에 젊은 여성들이 즐기는 놀이이다.

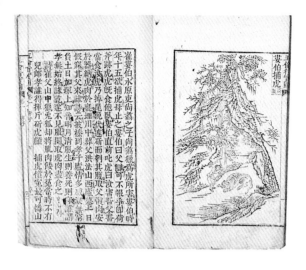
〈오륜행실도〉 중 '호랑이를 잡은 누백'의 한문본과 그림

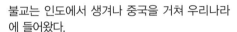
불교는 인도에서 생겨나 중국을 거쳐 우리나라에 들어왔다.

〈표해록〉에는 바다에서 표류하면서 겪은 온갖 고난이 실감나게 묘사되어 있다.

서포 김만중은 조선 후기의 뛰어난 문신이다.

〈왕오천축국전〉은 순례지의 사회상·풍속·자연 환경을 자세히 서술하고 있다.

신라 시대 왕의 복장. 우리의 고유 명절 추석은 신라 유리왕 때에 길쌈 실력을 겨루던 풍속에서 비롯되었다.

The Best Korean Literature

추석에 이루어지는 놀이로는 농악놀이(사진) · 강강술래 · 씨름 · 소멕이놀이 · 거북놀이 등이 있다.

백제의 유적에서 발견된 돌무지 무덤. 〈오륜행실도〉의 '옥에서 죽은 성충'에서는 의자왕이 성충의 간언을 무시하여 백제가 멸망한 것으로 나온다.

구인환(丘仁煥)

서울대학교 사범대학 졸업. 동 대학원 졸업(문학박사)
서울대학교 명예교수, 소설가(현). 서울대학교 사범대학 국어교육연구소 소장(현)
문학과문학교육연구소 소장(현). 국제펜 한국본부 부회장(현)
한국소설문학상(1987) 예술문화대상(1994) 한국문학상(2000)
작품 〈숨쉬는 영정〉, 〈살아 있는 날들〉, 〈일어서는 산〉 외 다수

• **저서** ≪한국단편소설의 이해≫, ≪한국현대소설의 비평적 성찰≫,
　　≪고교생이 알아야 할 소설≫, ≪고교생이 알아야 할 세계단편소설≫ 외 다수

윤병로(尹柄魯)

성균관대학교 국어국문학과 졸업. 동 대학원 졸업(문학박사)
성균관대학교 교수, 문학평론가(현). 한국현대소설학회장(현)
한국문예학술저작권협회 이사(현). 한국간행물윤리위원회 위원(현)
한국펜 문학상(1987). 한국문학상(1988). 대한민국문학상(1989)
수필집 ≪나의 작은 애인들≫

• **저서** ≪현대 작가론≫, ≪한국 현대 소설의 탐구≫,
　　≪한국 근대 작가 작품 연구≫, ≪한국 현대작가의 문제작 평설≫ 외 다수

홍성암(洪性岩)

고려대학교 국어국문학과 졸업. 한양대학교 대학원 국어국문학과 졸업(문학박사)
동덕여자대학교 교수, 소설가(현). 한국문인협회 회원(현)
한국소설가협회 이사(현). 국제펜 한국본부 소설분과 이사(현). 한민족 문화학회 회장(현)
창작집 ≪큰 물로 가는 큰 고기≫, ≪어떤 귀향≫ 외
대하역사소설 ≪남한산성≫(전9권) 외 다수

• **저서** ≪문학의 이해≫, ≪현대 작가론≫, ≪한국 근대 역사소설 연구≫ 외 다수

기
획
·
감
수

찹쌀을 찐 다음 절구에 쳐서 떡을 만들고, 콩가루 등
을 묻혀 먹는인절미는 주로 추석에 만들어 먹는다.

논술 한국대표문학을 펴내며

21세기의 사회는 '**전자 문명 시대**'라 일컬어질 만큼 오늘날 전자 산업은 우리 생활의 거의 모든 분야에 다양하게 응용되고 있습니다. 출판 분야 또한 예외는 아니어서, 종래의 서책(Book) 대신에 이른바 '전자책(CD-ROM)'의 출간이 최근 들어 날로 증가하고 있습니다.

그러나 이러한 전자책은 영상 또는 모니터상으로 흥미 위주나 백과사전식 지식을 습득하는 데는 효과적일지 모르지만, 문학 공부를 위해서는 별로 도움이 되지 않습니다. 바꾸어 말하면, 문학 공부는 각 지면마다 살아 숨쉬는 표현 하나하나를 독자 자신의 머리로 음미하면서 작품을 읽어 나가는 가운데, 풍부한 상상력의 배양과 함께 작가의 의도와 그 작품의 내면을 깊이 있게 이해함으로써 이루어지는 것입니다.

이에 훈민출판사에서는, 자라나는 학생들이 범람하는 영상 매체에 길들여지기 전에, 어려서부터 유명한 세계문학 작품들을 책자를 통하여 감명 깊게 읽고 감상함으로써, 올바른 문학 공부의 기틀을 다지고, 아울러 전인 교육도 할 수 있도록 《논술 한국대표문학(전60권)》을 펴내게 되었습니다.

작품 선정은, 초·중·고등학교 국어 교과서와 역사 교과서에 실리거나 소개된 문학 작품을 중심으로 하되, 그리스 신화와 성경 이야기 등의 고전에서부터 중세·근대·현대에 이르기까지 세르반테스·셰익스피어·톨스토이 등 세계 유명 작가들의 장·단편 소설들을 엄선·수록하였습니다. 또 세계의 명시도 별권으로 엮었으며, 특히 각 단락마다 '**논술 문제**'를 제시하여, 장차 대학입시를 비롯한 각종 '논술 고사'에 예비 지식을 쌓을 수 있도록 배려하였습니다. 아무쪼록, 이 《논술 한국대표문학(전60권)》이 자라나는 학생들에게 문학 공부의 주춧돌이 되고, 나아가 미래를 살아가는 데 **정신적 자양분**이 되기를 진심으로 바라 마지않습니다.

훈민출판사

차례

왕오천축국전

혜 초

지은이

704~787년. 신라 출신으로 당나라에서 활약한 승려. 인도 승려 금강지에게 밀교를 배움. 인도 내의 불교 성전과 오천축국을 순례하고 파미르 고원을 넘어 중앙아시아의 쿠차로 돌아와, 인도 기행문인 〈왕오천축국전〉을 썼다. 그 후 밀교 경전을 한문으로 번역하는 데에 온 힘을 기울이다가 당나라에서 죽었다.

왕오천축국전

(위는 없어졌음) 삼보(불·법·승)를 사랑하지 않는다. 맨발에 나체며 외도(이교도)라 옷을 입지 않는다.(아래는 없어졌음)

음식을 보자마자 곧 먹으며 재계(부처님에게 공양을 올리기 위해 몸과 마음을 깨끗이 하는 일)도 하는 일이 없다. 땅은 모두 넓다.(아래는 없어졌음)

노비를 소유하고 사람을 파는 죄와 사람을 죽이는 죄가 다르지 않다.(아래는 없어졌음)

한 달 뒤에 구시나라(쿠시나가라)에 도착했다. 부처님이 열반(세상을 떠나시다)에 드신 곳이다. 성은 황폐화되어 사람이라고는 살지 않는다. 부처님이 열반에 드신 곳에 탑을 세웠는데 한 선사가 그 곳을 깨끗이 청소하고 있다. 매년 8월 8일이 되면 비구(남자 스님)와 비구니(여자 스님), 도인과 속인들이 모두 그 곳에 모여 대대적으로 불공을 드린다. 그 때 공중에 깃발이 휘날리는데 그 수를 헤아릴 수가 없을 만큼 많다. 많은 사람들이 그것을 보고 이 날을 당하여 불교를 믿으려고 마음먹는 사람이 한둘이 아니라고 한다.

이 탑 서쪽에 한 강이 있는데 이라바티수라 한다. 남쪽으로 2천 리 밖을 흘러 항하(갠지스 강)에 들어간다.

그 탑이 있는 주변에는 사람이 살지 않는다. 매우 황량한 숲만이 우거져 있다. 그러므로 그 곳에 예배를 보러 가는 사람은 물소와 호랑이에게 해를 입기가 쉽다.

이 탑의 동남쪽 30리에 절이 하나 있다. 이름이 사반단사이다. 거기에는 30여 채의 집이 있고, 그 중 세 집이나 다섯 집에서 항상 그 탑을 청소하는 선사를 공양한다. 지금도 그 탑에서 선사가 공양하고 있다.(아래는 없어졌음)

하루는 파라나시에 도착했다. 이 나라도 황폐화되었고 왕도 없다.(아래는 없어졌음)

저 다섯 명(부처님과 함께 수행하다가 부처님이 깨달음을 얻은 뒤 최초의 제자가 됨)이 함께 부처의 설교를 들었으므로, 그들의 소상이 탑 안에 있다.(아래는 없어졌음)

위에 사자상이 있는 저 당(돌기둥)은 다섯 아름이나 되며, 거기에 새겨져 있는 무늬가 매우 아름다웠다.(아래는 없어졌음)

그 탑을 세울 때 이 당도 만들었다. 이 절의 이름을 달마카크라라고 한다.(아래는 없어졌음)

외도가 옷을 입지 않고 몸에는 재를 칠하고 대천(힌두교의 파괴신의 하나인 시바신)을 섬긴다.

이 절 안에는 하나의 금동상(금으로 도금한 구리로 만든 불상)과 5백의 독각상(5백 나한상)이 있다. 이 마가다 나라에는 오래 전에 왕이 한 분 있었는데 이름이 실라디탸였고 그가 이 불상을 만들었다. 그리고 겸하여 금동으로 된 법륜을 하나 만들었는데, 그 바퀴의 원주(지름)가 30여 보나 된다. 이 성은 항하를 굽어 보는 북쪽 언덕에 위치하고 있다.

곧 이 녹야원(마가다바) · 구시나(구시나 가라) · 사성(왕사성) · 마하보디의 네 영탑도 마가다국 경계 안에 있다.

이 나라 파라나시에는 대승불교와 소승불교가 함께 행해지고 있다. 마하보디사에 도착했다고 할 수는 없으나 내 본래의 소원에 맞아 매우 기쁘므로 내 어리석은 뜻을 대략 서술하여 오언시를 짓는다.

보리수가 멀다고 근심하지 않는데
어찌 녹야원이 멀리요?
다만 매달린 것 같은 길이 험함을 걱정할 뿐
이미 바람이 휘몰아침도 생각지 않도다.
여덟 탑은 참으로 보기 어려우니
어지러이 오랜 세월에 타 버렸다.
어떻게 그 사람의 소원이 이루어질까?
눈으로 목도함이 오늘 아침에 있도다.

이 파라나시로부터 반 달쯤 걸려 중천축국의 왕이 사는 성에 도착했다. 이름이 카냐굽자이다. 이 중천축국의 경계는 매우 넓어 백성들도 많고 번잡하다. 왕은 9백 마리의 코끼리를 가졌고 기타 대 수령들도 각각 3백이나 2백 마리씩의 코끼리를 가졌다.

그 나라 왕은 항상 스스로 병마를 거느리고 싸움을 하는데 이웃 나라와 교전하면 이 중천축국의 왕이 늘 이긴다. 그러므로 이웃 나라들은 스스로 코끼리가 적고 군사가 적음을 알아 곧 강화를 청하고 매년 공물을 바치고 서로 대진하여 싸우려 들지 않는다.

의복 · 언어 · 풍속 · 법률 등은 다섯 천축국이 서로 비슷하다. 다만 남천축국 시골 사람들의 언어가 좀 다르나 벼슬아치가 사용하는 말은 중천축국과 다르지 않다.

이 다섯 천축국의 법에는 목에 칼을 씌우고 매를 때리는 형벌과 감옥이 없다. 죄를 지은 사람이 있으면 그 경중에 따라 벌금은 물리되 절대로 사형에는 처하지 않는다.

위로 국왕에서부터 아래로 평민에 이르기까지 매를 때리며 개를 몰아 사냥하는 일을 보지 못하였다.

길거리에는 도적이 많다. 하지만 물건을 빼앗고는 곧 놓아 주며 다치게 하거나 죽이지는 않는다. 그러나 물건을 얼른 주지 않고 버티다가는 다치는 수가 있다. 이 곳은 기후가 매우 따뜻하여 온갖 풀이 항상 푸르고 서리나 눈이 없다.

음식물로는 쌀 양식과 떡·보릿가루·버터·우유 등이 있는데, 간장은 없고 소금이 있다. 모두 흙으로 만든 냄비로 밥을 지어 먹고 쇠솥 등은 사용하지 않는다.

백성들은 별도의 부역과 세금을 부담하지 않고 다만 곡식 다섯 섬만 왕에게 바치는데, 왕이 사람을 보내어 그것을 운반해 가고 논 임자가 보내지는 않는다.

이 나라 백성들은 가난한 사람들이 많고 부자는 적다. 왕과 벼슬아치의 집안 및 부유한 사람들은 모직물로 된 천의 일종인 전포로 만든 옷 한 벌을 입고, 기타 사람들은 아래옷 한 가지만 입으며, 가난한 사람은 그나마도 반 조각을 걸친다. 여자들도 대개 그렇다.

이 나라 왕이 관청에 나와 앉으면 수령과 백성들이 모두 와서 왕을 사면으로 둘러싸고 앉는다. 그런 뒤에 각기 도리를 논하는데, 소송이 분분하여 매우 시끄러워도 왕은 듣고만 있지 말은 하지 않는다. 그러다가 마지막에 가서 천천히 판정하기를 '네가 옳고 네가 틀렸다' 하면 모든 백성들은 왕의 이 한 마디 말을 결정적인 것으로 알고 다시는 거론하지 않는다.

이 나라 왕과 수령들은 삼보를 매우 공경하여 믿는다. 가르침을 주는 스님을 대하게 되면 왕과 수령들은 땅바닥에 앉으며 의자에 앉기를 즐거워하지 않는다. 또 왕과 수령들은 외출하여 다른 곳에 갈 때에도 자기의 의자를 가지고 따라오게 하여, 그 곳에 도착하면 곧 자기의 의자에 앉고 남의 의자에 앉지 않는다.

절과 왕의 궁전은 모두 3층으로 짓는다. 그리하여 1층은 창고로 쓰고, 위의 두 층에 사람이 거주한다. 다른 수령의 집들도 그렇다. 지붕은 모두 평평하며 벽돌과 목재로 짓는다. 이 밖의 집들은 모두 초가로, 중국 사람들의 집과 같이 빗물이 추녀로 쏟아지도록 지어진 것이며 단층이다.

이 나라에서 생산되는 것으로는 전포·코끼리·말 등이며 금과 은은 생산되지 않아 외국으로부터 들여온다. 또 낙타·노새·당나귀·돼지 등의 가축도 기르지 않는다.

이 곳의 소는 모두 흰 색으로, 1만 마리 중에 혹 한 마리 정도가 붉거나 검다. 양과 말은 매우 적어 왕만이 2~3백 마리의 양과 6~70마리의 말을 소유하고 있다. 이 밖에 수령과 백성들은 모두 다른 가축은 기르지 않고 소만 기른다. 우유와 버터를 짜 먹기 때문이다.

이 곳 사람들은 착하여 살생을 좋아하지 않는다. 그래서 시장에 가도 고기 파는 곳을 볼 수 없다.

이 중천축국에서도 대승불교와 소승불교가 함께 행하여진다. 또 이 중천축국 경계 안에 네 개의 탑이 있는데, 항하 북안에 그 중 세 개의 큰 탑이 있다.

첫째 탑은 사위국(스라바스티)의 급고원(기원정사) 안에 있는데 절도 있고 스님들도 있는 것을 보았다.

둘째 탑은 비야리성의 암라원 안에 있다. 이 암라원은 암라파리라는 여인이 부처님께 바친 것이다. 탑은 남아 있으나 절은 황폐화되고 스님은 없다.

셋째 탑은 가비야라에 있는데, 이 곳은 부처님이 나신 성이다. 근심이 없다는 나무인 무우수가 있다. 그 성은 이미 황폐화되어 탑은 있으나 스님은 없고 백성도 없다. 탑은 이 성의 맨 북쪽 끝에 있는데 숲이 거칠게 우거져 길에 도적이 많다. 따라서 그 곳에 예배 보러 가기가 무척 어렵고 힘들다.

넷째 탑은 삼도보계탑이라고 한다. 중천축국의 왕이 사는 성에서 서쪽으로 7일 동안 걸어갈 거리에 있으며, 두 항하 사이에 있다.

이 곳은 부처님이 도리천(수리산 꼭대기에 있는 욕계육천의 둘째 하늘)으로부터 삼도보계(보배로 장식되어 있는 삼중 계단)를 밟고 내려와 염부제(인간 세계)로 내려온 곳이다.

탑 왼쪽은 금으로, 오른쪽은 은으로 장식하고 가운데는 유리를 박았다. 부처님은 가운데 길에, 범왕은 왼쪽 길에, 제석은 오른쪽 계단에서 부처님을 모시고 내려온 것이 바로 이 곳이다. 절도 있고 스님들도 있었다.

중천축국으로부터 남쪽으로 3개월 남짓 걸어가면 남천축국의 왕이 사는 곳에 도착한다. 이 나라 왕은 8백 마리의 코끼리를 가지고 있다. 영토가 매우 넓어 남으로는 남해에 이르고, 동으로는 동해에 이르며, 서쪽으로는 서해에 이르고, 북쪽으로는 북천축국·서천축국·동천축국의 경계에 접한다.

옷과 음식, 풍습은 중천축국과 비슷하나 언어가 좀 다르다. 토지는 중천축국보다 덥고, 그 곳에서 나는 물건으로는 전포·코끼리·물소·황소가 있다. 양도 조금은 있으나 낙타·노새·당나귀 등은 없다. 벼 심은 논은 있으나 기장·조 등은 없다. 또한 솜과 비단 등속은 천축국 어디에 가도 볼 수가 없다. 왕을 비롯하여 수령·백성들은 삼보를 매우 공경한다. 절도 많고 스님들도 많으며 대승불교와 소승불교가 모두 행하여진다.

이 곳 산 속에 절이 하나 있는데, 대승불교를 펼친 용수보살이 야차신(모양이 괴상하게 생긴 잔혹한 귀신)을 시켜 지은 것으로 사람이 지은 것이 아니라고 한다. 산을 뚫어 기둥을 세우고 3층으로 누각을 세웠는데 사방이 3백여 보나 된다.

용수가 살아 있을 때는 그 절에 3천 명이나 되는 스님들이 있었고, 혼자 공양하는 쌀이 열다섯 섬이나 되며, 매일 3천 명의 스님들이 먹어도 쌀이 모자라는 일이 없었다고 한다. 없어지면 또 생기고 하여 원상태에서 감소되는 일이 없었다 한다. 그러나 지금은 이 절도 황폐화되고 스님도 없다. 용수는 나이가 7백 세나 되도록 살다가 세상을 떠났다 한다. 나는 그 감회를 오언시로 읊었다.

> 달 밝은 밤에 고향길을 바라보니
> 뜬구름은 너울너울 고향으로 돌아가네.
> 편지를 봉하여 구름 편에 보내려 하나
> 바람은 빨라 내 말을 들으려고 돌아보지도 않네.
> 내 나라는 하늘 끝 북쪽에 있고
> 다른 나라는 땅 끝 서쪽에 있네.
> 해가 뜨거운 남쪽에는 기러기가 없으니
> 누가 내 고향 계림(신라)으로 나를 위하여 소식을 전할까?

또 남천축국으로부터 북쪽으로 2개월 정도 가면 서천축국의 왕이 사는 성에 도착한다. 이 서천축국의 왕도 5~6백 마리의 코끼리를 가지고 있다. 이 나라에서 생산되는 것은 전포와 은·코끼리·말·양·소 등이다. 또한 보리·밀·콩 종류도 많이 생산되나 쌀은 아주 소량만 난다. 음식은 떡·보릿가루·우유·버터 등이다. 시장에서 물건을 살 때에는 은전과 전포 등속을 이용하여 산다. 왕을 비롯하여 수령이나 백성들도 삼보를 매우 숭상한다.

절도 많고 스님도 많으며 대승불교와 소승불교가 함께 행해지고 있다. 땅은 매우 넓으며 서쪽으로 서해에 이른다. 이 나라 사람은 노래 부르는 것을 즐기는데, 이것이 다른 네 천축국과 다른 점이다. 또 목에 칼을 씌우는 형벌이나 곤장을 때리는 형벌이나 감옥에 가두는 일과 사형에 처하는 형벌 등은 없다. 지금은 대식국의 내침을 받아 나라의 대부분이 파괴되었다.

또 다섯 천축국의 법에는 외출할 때 야식을 가지고 가지 않는다. 도착하는 곳에서 금방 얻어먹을 수가 있기 때문이다. 그러나 수령들은 외출할 때 스스로 음식을 가지고 가서 먹고, 백성들이 바치는 음식은 먹지 아니한다.

또 이 서천축국으로부터 북쪽으로 3개월을 가서 자란다라라는 북천축국에 도착했다. 왕은 3백 마리의 코끼리를 가지고 산을 의지하여 성을 만들어 살고 있다. 여기에서부터 북쪽으로는 점점 산이 많아진다. 나라가 작고 병사와 가축이 적어 중천축국과 가시미라에 자주 먹히므로 산을 의지하고 사는 것이다.

풍습과 옷과 언어가 중천축국과 다르지 않다. 땅이 중천축국 등과 비교하여 좀 차나 서리나 눈은 없고 바람이 좀 찰 뿐이다. 이 땅에서 생산되는 것으로는 코끼리 · 전포 · 벼 · 보리 등이고, 당나귀와 노새는 많지 않다. 그 나라 왕은 말 100필을 가졌고, 수령은 4~5마리를 가졌으며, 백성들은 아무것도 가지고 있지 않다. 이 나라 서부 지방은 하천이 흐르는 평평한 땅이 많고 동쪽은 설산(히말라야 산)에 가깝다. 이 나라 안에는 절도 많고 스님도 많으며 대승불교와 소승불교가 함께 행해지고 있다.

또 한 달이 걸려 설산을 지나니 동쪽에 작은 나라가 하나 있었다. 이름이 수바르나고트라(동녀국)로서, 토번(티베트)의 통치 아래 있다. 옷은 북천축국과 비슷하나 언어는 다르다. 기후가 매우 춥다.

또 이 자란다라로부터 서쪽으로 가서 한 달이 걸려 탁샬국(지금의 편자브 지방에 있음)에 도착했다. 언어가 약간 다르지만 대체로 비슷하다. 옷 · 풍습 · 생산물 · 절기 · 기후가 북천축국과 비슷하다. 절도 많고 스님도 많으며 대승불교와 소승불교가 모두 행하여지고 있다. 왕을 비롯하여 수령 · 백성들이 모두 삼보를 매우 숭상한다.

또 이 탁샬국으로부터 서쪽으로 한 달을 가서 신두고라(지금의 라자푸타나 지방)에 도착했다. 옷 · 풍습 · 절기 · 기후가 북천축국과 비슷하나 언어는 좀 다르다. 이 나라 사람들은 우유와 버터를 짜서 먹는다. 왕과 백성들은 삼보를 매우 숭상하며 절도 많고 스님도 많다. '순정이론'을 만들어낸 중현 대사가 바로 이 나라 사람이다. 이 나라에도 대승불교와 소승불교가 함께 행하여지고 있다. 그러나 지금은 대식국에게 침입을 당하여 나라의 대부분이 파괴되었다.

이 나라를 비롯하여 다섯 천축국의 사람들은 대체로 술을 마시지 않는다. 이 다섯 천축국을 돌아다닐 때 사람들이 취해서 서로 싸우는 것을 보지 못했다. 비록 마시더라도 기분을 좋게 하기 위해서일 뿐, 노래를 부르고 춤추며 떠드는 행동을 하는 방탕한 사람들은 없었다.

또 북천축국(자란다라)에 절이 하나 있는데 이름이 다마사바나이다. 부처님이 살아 계실 때 이 곳에 오셔서 설법을 하여 사람과 하늘을 널리 제도하셨다. 이 절의 동쪽 시냇가 곁에 탑이 하나 있는데 부처님의 머리털과 손톱을 이 탑 안에 보관하고 있다. 여기에는 3백여 명이나 되는 스님이 살고 있다. 또한 이 절에는 대벽지불(독각, 스승 없이 혼자 깨달아 이룬 부처)의 이빨과 뼈와 사리 등을 보관하고 있다.

그리고 다시 7,8개 장소에 절이 있는데 각각 5~6백 명씩의 스님이 안주하여 법도 닦기에 힘쓰고 있다. 또 왕을 비롯하여 백성들도 삼보를 매우 숭상한다.

또 산속에 절이 하나 있는데 이름이 나가라다나이다. 여기에 한 중국인 스님이 계셨는데 이 절에서 입적하셨다. 이 곳에 계시는 대덕의 말에 의하면, 그 중국인 스님은 중천축국에서 왔고 삼장 성교(경장·율장·논장의 3장과 부처님의 교법)에 밝고 정통하였으며, 장차 고향으로 돌아가려다 갑자기 병이 들어 세상을 떠났다 한다. 나는 그 말을 듣고 마음이 매우 슬퍼져 문득 네 운자를 써서 그의 죽음을 추도했다.

고향 집의 등불은 주인을 잃고
객지에서 보수(극락에 있는 보배 나무)는 꺾이었구나.
신성한 영혼은 어디로 갔는가?
옥 같은 모습이 이미 재가 되었구나.

그대의 소원 못 이룸이 못내 섧구나.
누가 고향으로 가는 길을 알 것인가?
부질없이 흰 구름만 돌아가네.

또 여기(자란다라)에서 북쪽으로 보름 동안을 가서 산 속으로 들어가면 가미라국이다. 이 가미라국(가시미라) 역시 북천축국에 속하나 다른 나라에 비해 좀 크다. 왕은 3백 마리의 코끼리를 가지고 산 속에서 산다. 길이 험악하여 외국의 침략을 받지 않는다. 백성은 매우 많으나 가난한 사람이 많고 부자는 적다. 왕을 비롯하여 수령과 여러 부자들은 의복이 중천축국과 다르지 않으나, 일반 백성들은 모두 담요로 몸의 부끄러운 곳을 가렸을 뿐이다.

이 땅에서 생산되는 것으로는 구리·철·전포·담요·소·양이 있고 코끼리도 있으나, 말은 적고 쌀과 포도 등도 조금 생산된다. 기후가 매우 추운 것이 앞에서 말한 여러 나라와 다른 점이다. 가을에는 서리가 내리고 겨울에는 눈이 내린다. 여름에는 장마비가 많이 내리고 온갖 풀들이 푸른 잎으로 무성하다가 겨울이 되면 모두 말라서 낙엽이 되어 떨어진다. 냇물이 있는 산골짜기는 좁고 작다.

남북으로 5일 동안 가서 다시 동서로 하루 동안 걸어가는 거리에서 이 나라의 땅은 다하고 나머지는 산으로 둘러싸인다. 집들은 모두 널빤지로 지붕을 하였고 짚이나 기와는 사용하지 않는다. 왕을 비롯하여 수령·백성들은 삼보를 매우 공양한다. 나라 안에 용이 사는 연못이 있어 그 연못의 용왕은 매일 천 명의 나한승(아라한, 높은 공덕을 갖춘 성자)에게 공양한다. 비록 그 나한승이 식사를 하는 것을 본 사람은 없으나 재일이 지나면 떡과 밥이 물 속으로부터 어지러이 위로 떠올라 온다. 이

로 보아 지금까지 공양하는 것이 끊이지 않았음을 알 수 있다. 왕과 대수령은 외출할 때 코끼리를 타고 작은 관리들은 말을 타고 백성들은 모두 걸어다닌다. 이 나라 안에는 절도 많고 스님도 많은데 대승불교와 소승불교가 함께 행해지고 있다.

다섯 천축국의 법에는 위로 국왕과 왕비와 왕자로부터 아래로는 수령과 그들의 아내에 이르기까지 능력에 따라 각자 절을 짓는데, 함께 짓지 않고 따로따로 짓는다. 그들이 말하기를, '각자의 공덕인데 어째서 반드시 함께 지을 필요가 있느냐'고 한다. 이는 그럴듯한 말이다. 나머지 왕자들도 또한 그러하다.

절을 지어 공양하는 것은 곧 마을의 백성들에게 베풀어 주는 것이요, 삼보를 공양하는 것이다. 그리하여 헛되게 절만 지어 놓고 백성들에게 복을 베풀어 주지 않는 사람이 없게 되었다.

이 외에 이 나라 법에는 왕과 왕후가 각각 따로따로 마을의 백성을 소유하고 왕자나 수령도 각기 백성을 소유하고 있다. 보시는 왕에게 허락을 받을 필요 없이 자유롭게 하며, 절을 짓는 것도 그러하다. 자신이 짓고 싶으면 짓고 왕에게 묻지도 않으며, 왕도 감히 막지 못한다. 죄를 받을까 두려워하기 때문이다.

만약 형편이 넉넉한 사람이면서도 마을에 보시를 안 했다면 절을 지어 스스로 경영하여 얻는 물건으로써 삼보에게 공양하기도 한다. 이 다섯 천축국은 사람을 팔지 않고 노비도 없으며, 사람이 할 일은 오직 백성과 마을에 보시하는 것뿐이다.

또 가시미라의 동북쪽으로 산을 사이에 두고 보름 정도를 가면 대발률국(파키스탄의 발루치스탄)·양동국(부탄 동부)·사파자국(네팔)이 나온다.

이 세 나라는 토번(티베트)에게 예속되어 있는데 옷·언어·풍습이 각각 다르다. 그들은 가죽옷·모직물옷·가죽신·바지 등을 입고 산다. 땅이 좁고 지형이 매우 험하다. 절도 있고 스님도 있으며 삼보를 숭배한다.

그러나 동토번에는 도무지 절이라곤 없고 불법도 알지 못한다. 그 땅은 오랑캐족이 사는 곳으로 여겨진다. 동토번국 사람들은 순전히 얼음의 산, 눈에 덮인 산, 눈에 덮인 강가나 계곡에서 전포로 만든 천을 치고 산다. 성곽이나 집이 없으며 그 거처하는 장소가 돌궐족과 비슷하다. 물과 초원을 따라 살며, 왕은 비록 한 곳에서 사나, 그 역시 성이 없고 전포 천막을 치고 살면서 일을 본다.

이 나라에서는 양·말·소·담요·베 등이 생산된다. 옷으로는 털옷·베옷·가죽옷을 입는데 여자들도 똑같다. 이 나라의 기후는 매우 춥다. 이 점이 다른 나라와 다르다. 각 가정에서는 보릿가루를 먹고 살며, 떡과 밥을 먹는 일은 드물다. 국왕이나 백성들은 모두 불법을 알지 못하고 절도 없다. 이 나라 사람들은 모두 땅을 파서 구들을 놓고 자므로 침대가 없다. 사람들은 피부색이 매우 까맣고, 피부가 하얀 사람은 드물다. 언어가 다른 나라와 같지 않고 이를 잡아먹기를 좋아한다. 털옷을 입으므로 이가 많기 때문으로 여겨진다. 이만 보면 잡아 입에 털어 넣고 오물거리며 먹는다.

또 가시미라에서 서북쪽으로 산을 사이에 두고 7일을 가면 소발률국이 있다. 이 나라는 중국의 지배 아래 있다. 옷·풍습·음식·언어가 대발률국과 비슷하다. 전포옷을 입고 가죽신을 신으며 수염과 머리털을 깎고 머리에는 털수건 한 장을 둘렀다. 여자는 머리를 기르며, 가난한 사람이 많고 부자는 적다. 땅은 좁고 논밭이 적다. 이 곳 산은 메말라 있어 나무나 풀이 자라지 않는다. 앞서의 대발률국은 원래 소발률국의 왕이 살던 곳인데, 토번이 침략하자 도망하여 소발률국으로 들어와 정착한 것이다. 수령이나 백성들은 대발률국에 그대로 있고 소발률국으로 따라오지 않았다.

또 가시미라로부터 서북쪽으로 산을 사이에 두고 한 달을 가면 간다라에 도착한다. 이 나라 왕과 군사는 모두 돌궐족이다. 그리고 이 곳의 토착인은 오랑캐족이고 바라문의 종족도 있다. 이 나라는 전에 카피스 왕의 통치 아래 있었다. 그런데 돌궐의 왕 아야가 한 부락의 병마를 거느리고 카피스 왕에게 투항하였다가 후에 돌궐족의 군대가 강해지자 오히려 카피스 왕을 죽이고 스스로 이 나라의 왕이 되었다. 그리하여 돌궐왕이 왕이 되었고, 이 나라 이북에 있는 나라도 돌궐의 지배를 받게 되었다.

백성들은 모두 산속에 사는데 그 산들이 모두 타서 풀도 나무도 없다. 옷·풍습·언어·절기가 다른 나라와 다르다. 옷은 가죽·털·전포로 된 웃옷과 가죽신·바지 등속을 입는다. 토지는 보리·밀을 재배하기에 적당하고, 기장·조·벼는 전혀 없다. 사람들은 보릿가루와 떡을 먹고 산다. 가시미라·대발률국·소발률국·양동국 등을 제외한 간다라국을 비롯하여 다섯 천축국과 곤륜국 등의 나라에는 포도가 없고 고구마만 있다.

돌궐왕은 코끼리 다섯 마리를 가지고 있고, 양과 말은 헤아릴 수 없이 많으며, 낙타·노새·당나귀 등도 매우 많이 가지고 있다.

중국 땅인데도 오랑캐가 흥성하여 (원문의 다섯 글자 빠졌음) 돌아 지나가지 못한다. 남쪽으로 향하면 길이 험악하여 겁탈하는 도적이 많다. 북쪽으로 가면 악업(불교에서 말하는 몸, 입, 마음으로 짓는 악행)을 짓는 자가 많아 시장과 가게에는 도살하여 고기를 파는 곳이 많다.

이 나라 왕은 비록 돌궐족이나, 삼보를 매우 공경한다. 왕을 비롯하여 왕비·왕자·수령들도 각각 절을 지어 삼보를 공양한다. 이 나라 왕은 매년 두 번씩 무차대재(모든 사람이 평등하게 보시를 베푸는 대법회)를 연다. 그리하여 몸에 지닌 필요한 물건과 아내나 코끼리·말까지도 모두 시주한다. 다만 아내와 코끼리는 스님들로 하여금 값을 매기게 하고 그 값만큼 왕은 대가를 내어 놓는다. 이 외에 낙타·말·금·은·옷가지·가구 등은 스님들로 하여금 직접 매각 처분하여 이롭게 쓰게 한다. 이 것이 이 나라 왕이 북쪽 돌궐족과 다른 점이다. 그리하여 아녀자들도 각각 절을 짓고 재를 올리며 시주를 한다.

이 성은 인더스 강을 굽어 보는 북쪽 해안에 위치하고 있다. 이 성으로부터 서쪽으로 3일 동안 가면 큰 절이 하나 나오는데, 천친보살과 무착보살이 살던 곳이다. 절의 이름은 카니시카다. 이 절에는 큰 탑이 하나 있는데 항상 빛을 발하고 있다. 이 절과 탑은 옛날에 카니시카 왕이 만든 것이다. 그래서 왕의 이름을 따라 절의 이름도 지어진 것이다. 또 이 성 동남쪽에 마을이 있는데, 곧 부처가 과거에 시비카 왕이 되어 비둘기를 놓아 보냈던 곳이다. 절이 있고 스님도 있는 것을 볼 수 있다.

또 부처가 과거에 머리와 눈을 던져 다섯 야차에게 먹였다는 곳도 이 나라 안에 있는데, 이 성의 동남쪽에 있다. 그 곳에도 절이 있고 스님도 있어 지금도 공양하는 것을 볼 수 있다. 이 나라에는 소승불교와 대승불교가 함께 행해지고 있다.

또 이 간다라국으로부터 정북향의 산으로 들어가 3일 동안을 가면 우디아나에 도착한다. 이 곳 사람들은 스스로 자기들을 우디아나라고 부른다. 이 나라 왕도 삼보를 크게 공경한다. 백성들은 수입의 많은 몫을 절에 시주하여 공양하고 조그만 몫을 자기 집에 남겨 두어 생활하는 데 사용한다. 또 재를 올려 공양하는데 매일 하는 것을 원칙으로 한다. 절도 많고 스님도 많은데 스님의 수가 일반 백성의 수보다 약간 많다. 오로지 대승불법만 행하여진다. 옷·음식·풍습이 간다라국과 비슷하나 언어는 다르다. 이 땅에는 낙타·노새·양·말·전포 등이 풍족하나 기후가 매우 춥다.

또 우디아나로부터 동북쪽으로 산으로 들어가 보름 동안을 가면 구위국에 도착한다. 이 곳 사람들은 스스로 사마라자국이라고 한다. 이 나라왕도 삼보를 공경하여 믿으며, 절도 있고 스님도 있다. 의복과 언어가 우디아나와 비슷해 전포로 만든 웃옷과 바지 등을 입는다. 양·말 등도 있다.

또 이 간다라국으로부터 서쪽으로 가서 산으로 들어가 7일 만에 람파카에 도착한다. 이 나라에는 왕이 없고 대수령이 있는데 간다라국의 통치 아래에 있다. 옷과 언어가 간다라국과 비슷하며 절도 있고 스님도 있는데 삼보를 공경하여 믿고 대승불법이 행하여진다.

또 이 람파카로부터 서쪽 산 속으로 8일 동안을 가면 카피스에 도착한다. 이 나라도 간다라 왕의 통치 아래에 있는데, 이 나라 왕은 여름에는 카피스로 와서 시원하게 살고, 겨울에는 간다라로 가서 따뜻하게 산다. 이 곳 간다라는 눈이 오지 않으므로 따뜻하고 춥지 않다. 그러나 카피스는 겨울에 몹시 추워 눈이 쌓인다.

이 나라 토착인은 오랑캐족이고 왕과 군대는 돌궐족이다. 옷·언어·음식이 투카라와 비슷하다. 남녀노소 할 것 없이 모두 전포나 베로 만든 옷을 입고 가죽신을 신는다. 남녀 의복의 차별이 없으나, 남자들은 수염과 머리를 깎고, 여자들은 머리를 기르고 있다. 이 나라에서는 낙타·노새·양·말·당나귀·소·전포·포도·보리·밀·울금향 등이 생산된다.

이 나라 사람들도 삼보를 공경하여 믿으며, 절도 많고 스님도 많다. 백성들 집에서도 각각 절을 지어 삼보를 공양한다. 그 곳 큰 성 안에 절이 하나 있는데 이름이 사히스이다. 이 절 안에는 부처의 머리카락·뼈·사리 등이 보관되어 있으며, 왕을 비롯하여 벼슬아치·백성들이 매일 공양한다. 이 나라에는 소승불교가 행해지고 있다. 이 곳 주민은 산속에 살고 있으나, 산마루에는 초목이 없어 마치 산이 불에 타 버린 것 같다.

이 카피스로부터 서쪽으로 가면 자부리스탄에 도착한다. 그 곳 사람들은 스스로 부르기를 자부리스탄이라고 한다. 이 곳 토착인은 오랑캐족이고 왕과 군대는 돌궐족이다. 이 곳 왕은 곧 카피스 왕의 조카다. 스스로 한 부락의 군사를 거느리고 이 나라에 와서 살면서 다른 나라에 예속되지도 않으며 그의 숙부에게까지도 복종하지 않는다. 이 나라 왕과 수령은 비록 돌궐족이나 삼보를 매우 공경한다. 절도 많고 스님도 많으며 대승불교가 행해지고 있다.

한 위대한 돌궐족 수령으로 이름이 산타칸이란 사람이 매년 한 번씩 금과 은을 수없이 사용하여 재를 올리는데 그 곳 왕보다도 더하다. 옷·풍습·생산물이 카피스 왕국과 비슷하나 언어는 다르다.

이 자부리스탄으로부터 북쪽으로 7일을 가면 바미얀에 도착한다. 이 나라 왕은 오랑캐족으로 다른 나라에 예속되지 않고 군대가 강하고 많아서 다른 나라가 감히 넘보지 못한다. 의복은 전포로 만든 저고리와 가죽·담요 등으로 만든 것을 입고 있다. 이 나라에서는 양·전포 등이 생산되고, 포도가 매우 많다. 이 나라에서는 눈이 오고 매우 춥다. 그래서 사람들은 대부분 산에 의지하여 산다. 왕을 비롯하여 수령이나 백성들이 삼보를 크게 공경하며, 절도 많고 스님도 많다. 대승불교와 소승불교가 함께 행해지고 있다. 이 나라와 자부리스탄 등에서는 사람들이 모두 수염과 머리를 깎고 있다. 풍속은 대체로 카피스(필리핀의 로하스)와 비슷하나 다른 점도 많다. 그러나 언어는 다른 나라와 다르다.

이 바미얀으로부터 북쪽으로 20일을 가면 투카라에 도착하는데, 왕이 사는 성의 이름이 박트라이다. 지금은 대식 군대의 침입을 당하고 왕은 핍박을 받아 동쪽으로 한 달 동안 걸어갈 거리로 달아나서 바닥샨이라는 곳에서 산다. 그러므로 이 나라는 지금 대식국의 지배 아래에 있다. 언어는 다른 나라와 달라, 카피스와는 약간 비슷하나 대체적으로는 다르다. 옷은 가죽옷과 전포로 된 것 등을 입는다.

위로 국왕으로부터 아래로 일반 백성에 이르기까지 모두 가죽으로 웃옷을 만들어 입는다. 그 땅에는 낙타·노새·양·말·전포·포도 등이 풍족하다. 음식으로는 떡을 해 먹기를 좋아한다. 기후는 매우 추워 겨울에는 서리와 눈이 내린다. 국왕을 비롯하여 수령·백성들이 삼보를 매우 공경한다. 절도 많고 스님도 많으며 소승불교가 행해지고 있다. 고기와 파와 부추 등을 먹으며 다른 종교를 믿지 않는다. 남자들은 수염과 머리를 깎고 여자들은 머리를 기른다. 이 나라에는 산이 많다.

이 투카라로부터 서쪽으로 한 달을 가면 페르시아에 도착한다. 이 나라 왕은 대식국을 지배했었다. 그래서 대식국은 페르시아 왕을 위하여 낙타를 기르게 되었다. 그러다가 후에 반란을 일으켜 페르시아 왕을 죽이고 스스로 왕이 되었다. 그리하여 지금 이 나라는 대식국에 병합되었다.

옷은 옛날에는 넓은 전포로 된 저고리를 입고 수염과 머리를 깎고, 음식은 떡과 고기를 먹는다. 쌀은 있으나 밥은 해먹지 않고 갈아서 떡을 만들어 먹는다. 이 나라에서는 낙타·노새·양·말이 생산된다. 또 높고 큰 당나귀와 전포와 보물도 생산된다. 언어는 다른 나라와 같지 않다.

이 나라 사람들은 무역을 좋아하여 항상 서해로 항해하며 남해로 들어가 사자국까지 가서 여러 보물을 가져온다. 그래서 이 나라에서 보물이 나온다고 하는 것이다. 그리고 곤륜국(중국 서장 근처에 있던 나라)까지도 가서 금을 무역해 오고, 또 중국까지도 항해하는데, 곧장 광주까지 가서 능(엷은 비단의 한 가지)·견사·솜 등을 무역해 오기도 한다. 또한 이 나라에서는 좋고 가는 전포를 생산한다. 이 나라 사람은 살생을 좋아하고 하느님을 섬기되 불법을 모른다.

이 페르시아로부터 북쪽으로 10일 동안 가서 산으로 들어가면 대식국에 도착한다. 이 나라 왕은 본국에 살지 않고 소불림국(지금의 시리아)에 살고 있다. 이는 그 나라를 정복하기 위해서다. 그래서 그 나라 사람들은 다시 산으로 된 섬으로 도망가서 사는데, 살기가 척박한 곳이다. 그러나 사람들은 그 곳으로 간 것이다.

이 나라에서는 낙타·노새·양·말 등을 기르고, 전포와 털로 된 양탄자 등이 생산되며 보물도 출토된다. 옷은 가는 실로 짠 전포로 넓은 저고리를 만들어 입는데, 그 저고리 위에 또 하나의 전포 조각으로 깃을 붙여 제쳐서 그것을 웃옷으로 삼는다. 왕과 백성들의 옷이 한 가지 종류로 구별이 없으며 여자들도 넓은 저고리를 입는다. 남자들은 머리를 깎았으나 수염은 남겨 두었고 여자들은 머리를 기른다.

음식을 먹는데도 귀천을 가리지 않고 공동으로 한 그릇에서 먹는데, 손에 젓가락을 들었다. 그러나 그것이 매우 보기 싫었다.

그런데 그들은 손으로 살생을 해서 먹어야 무한한 복을 받는다고 믿는다. 그래서 이 나라 사람은 살생을 좋아하고 하느님을 믿으나 불법은 알지 못한다. 따라서 이 나라 법에는 무릎을 꿇고 절하는 법이 없다.

또 소불림국 서북쪽에 대불림국(비잔틴 제국)이 있다. 이 나라 왕은 군사가 강하고 많아 다른 나라에 속해 있지 않다. 그래서 대식국이 여러 차례 정벌하려 했으나 목적을 달성하지 못했고, 돌궐족도 침범해 보았으나 이기지를 못했다. 이 나라에는 보물이 많고 낙타·노새·양·마·전포 등의 물건이 풍족하다. 의복은 페르시아나 대식국과 비슷하며 언어는 다르다.

또 이 대식국 동쪽에는 오랑캐 나라가 있는데 안국·조국·사국·석라국·미국·강국 등이 그것이다. 그 각 나라에는 비록 왕이 있으나 모두 대식국의 통치 아래에 있다. 땅이 좁고 군사가 적어 스스로를 보호할 수 없기 때문이다. 그 곳에서는 낙타·노새·양·말·전포 등속이 생산된다. 의복은 전포로 만든 저고리·바지 등과 가죽옷을 입고, 언어는 여러 나라가 각기 다르다.

또 이 여섯 나라는 모두 조로아스터교를 섬기며 불법을 알지 못한다. 다만 강국에만 절 한 채와 스님이 한 사람 있으나 불법을 해득하여 공경할 줄을 모른다. 이들 오랑캐 나라에서는 모두 수염과 머리를 깎고 흰 털모자 쓰는 것을 좋아한다. 풍습은 매우 고약하여 혼인을 서로 뒤

섞여 하여 어머니나 자매를 아내로 맞아들인다. 페르시아에서도 어머니를 아내로 삼는다.

또 투카라를 비롯하여 카스피·바미얀·자부리스탄 등에서는 형제가 열 명이거나 다섯 명이거나 세 명이거나 두 명이거나 모두 함께 한 명의 아내를 맞이한다. 그들은 각각 한 명의 아내를 맞이하는 것을 허락하지 않는다. 가계가 파괴될까 두려워하기 때문이다.

또 강국으로부터 동쪽으로 가면 곧 퍼르간나가 나온다. 그 곳에는 두 왕이 있다. 아무다르야라는 큰 강이 복판을 뚫고 서쪽으로 흐르는데 남쪽에 한 왕이 있어 대식국에 예속되어 있고, 강 북쪽에도 한 왕이 있어 돌궐의 통치를 받고 있다. 그 나라에서도 낙타·노새·양·말·전포 등이 생산된다. 가죽옷과 전포옷을 입고 음식은 일반적으로 떡과 보릿가루를 먹는다. 언어는 각기 다르며, 불법을 알지 못하여 절도 없고 스님도 없다.

또 이 퍼르간나로부터 동쪽에 한 나라가 있는데 코탈이라 한다. 이 나라 왕은 원래 돌궐족이나 이 땅의 백성의 반은 오랑캐족이고 반은 돌궐족이다. 이 나라에서는 낙타·노새·양·말·소·당나귀·포도·전포·담요 등이 생산된다. 옷은 전포와 가죽으로 만든 것을 입는다. 언어는 투카라 말, 돌궐 말, 그 나라 본토 말이 각각 나뉘어 쓰이고 있다. 왕을 비롯하여 수령이나 백성들은 삼보를 매우 숭상한다. 절도 있고 스님도 있으며 소승불교가 행해지고 있다. 이 나라는 대식국의 지배를 받고 있다. 다른 나라에서는 이 나라를 독립국으로 보지만 겨우 중국의 하나의 큰 주와 비슷하다. 이 나라의 남자들은 수염과 머리를 깎고 여자는 머리를 기른다.

또 이 오랑캐 나라로부터 북쪽으로 가면 북해에 이르고 서쪽으로 가면 서해에 이르며 동쪽으로 가면 중국에 이르는데, 모두 돌궐족이 사는 경계이다. 이들 돌궐족은 불법을 몰라 절도 없고 스님도 없다. 옷은 가죽옷과 전포 저고리를 입는다. 그리고 고기를 먹는다. 성곽에 거처하지 않고 전포로 천막을 쳐서 집으로 사용하다. 거처를 마음대로 하여 물가와 초원을 따라 이동하며 다닌다. 남자들은 수염과 머리를 깎고 여자들은 머리를 기른다. 언어는 다른 나라와 다르고, 사람들은 살생을 좋아하고 선악을 모른다. 낙타·노새·양·말 등이 풍부하다.

또 투카라로부터 동쪽으로 가면 와칸의 왕이 사는 성에 도착한다. 마침 투카라에 있을 때 서번(서쪽)으로 들어가는 중국 사신을 만났다. 그래서 넉 자의 운자를 써서 오언시를 지었다.

그대는 서번이 먼 것을 한탄하나
나는 동방으로 가는 길이 먼 것을 한하노라.
길은 거칠고 엄청난 눈이 산마루에 쌓였는데
험한 골짜기에는 도적 떼도 많도다.
새는 날아 깎아지른 산 위에서 놀라고
사람은 좁은 다리를 건너기를 두려워하도다.
평생에 눈물 흘리는 일이 없었는데
오늘만은 천 줄기나 뿌리도다.

또 겨울날 투카라에 있을 때 엄청난 눈을 만나 그 소회를 오언시로 서술했다.

차가운 눈은 얼음과 겹쳐 있는데

찬바람은 땅이 갈라지도록 매섭구나.
큰 바다는 얼어 편편한 단이 되었고
강물은 낭떠러지를 희롱하며 깎아 먹는구나.
용문엔 폭포조차 끊어지고
정구엔 서린 뱀같이 얼음이 엉키어 있구나.
불을 가지고 땅끝에 올라 노래를 부르니
어떻게 파미르 고원을 넘어갈 것인가?

와칸 왕은 군사가 적고 약하여 스스로 보호할 수가 없기 때문에 대식국의 통치를 받고 있으며, 해마다 세금으로 대식국에 비단 3천 필을 바친다. 사는 곳이 산골짜기라 집이 협소하다. 왕은 엷은 비단옷과 전포를 입는다. 백성들은 가난한 사람이 많고 옷은 가죽옷과 전포 저고리를 입는다. 음식은 오직 떡과 보릿가루뿐이다.

기후는 다른 어떤 나라보다도 매섭고 춥다. 언어도 다른 나라와 같지 않다. 말과 노새를 기르며 양과 소가 생산되나 그 크기가 매우 작다. 스님도 있고 절도 있으며 소승불교가 행해지고 있다. 왕을 비롯하여 수령과 백성들이 모두 부처님을 섬기어 다른 종교를 믿지 않는다. 남자들은 모두 수염과 머리를 깎고 여자들은 머리를 기른다. 산속에 살지만 나무와 풀이 잘 자라지 않는다.

또 와칸의 북쪽 산속에 아홉 개의 삭니아국이 있다. 아홉 왕이 각각 군대를 거느리고 거주하는데, 한 왕만이 와칸 왕에게 예속되어 있고 다른 왕들은 모두 독립해 있어 다른 나라에 예속되어 있지 않다. 이 근처에 있는 두 굴에서 사는 왕이 있는데, 중국에 투항하여 안서까지 사신을 보내는 등 연락이 끊어지지 않고 있다.

이 곳의 왕과 수령은 전포와 겹으로 된 모직물과 가죽옷을 입고 살며, 백성들은 가죽옷에 담요 저고리를 입고 있다. 눈으로 덮인 산속에 사는데 이것이 다른 나라와 다른 점이다. 양·말·소·당나귀를 기르며 언어는 다른 나라와 같지 않다. 그 곳 왕은 항상 2백 명부터 3백 명까지의 백성을 대파밀천(지금의 파미르 강)으로 보내어 풍족하게 사는 오랑캐족을 쳐서 물건을 약탈해 오도록 명령한다. 그래서 비단을 빼앗다 창고에 쌓아 두고는 못 쓰게 되도록 내버려 두면서도 옷을 만들어 입을 줄 모른다. 이 삭니아국에는 불법이 없다.

또 이 와칸으로부터 동쪽으로 보름을 가서 파밀천을 지나면 곧 총령진에 도착한다. 이 곳은 중국에 속해 있는 곳이다. 그래서 군인들이 방위하고 있는 것을 볼 수 있다. 여기는 옛날 비성왕국의 영토였다. 그런데 그 나라 왕이 배반하고 토번으로 도망을 했으므로, 지금은 이 곳에 백성들이 없다. 외국인은 커판단국이라고 부르고 중국에서는 총령이라고 부른다.

또 이 총령으로부터 한 달을 걸어 들어가니 카시가르에 도착했다. 외국인은 카시기리라고 부른다. 여기도 중국 군대가 수비하고 있는데, 절도 있고 스님도 있으며 소승불법이 행해지고 있다. 고기와 파·부추 등을 먹으며, 이 곳의 토착인은 전포로 된 옷을 입는다.

또 이 카시가르로부터 동쪽으로 한 달을 가면 쿠차에 도착한다. 곧 안서 대도호부로 중국 군대가 대대적으로 모인 곳이다. 이 쿠차에는 절도 많고 스님도 많으며 소승불법이 행해지고 있다. 고기·파·부추 등을 먹으며, 중국인 스님은 대승불교를 믿고 있다.

또 안서를 떠나 남쪽으로 코탄까지 2천 리를 가면 역시 중국 군대가 주둔하고 있다. 절도 많고 스님도 많은데 대승불교가 행해지고 있다. 이 곳에서는 고기를 먹지 않는다. 이 곳에서 동쪽으로 가면 모두 중국의 땅이다. 누구나 다 잘 알 것이므로 언급하지 않는다.

개원(당나라 현종의 연호. 713~741년) 15년 11월 상순에 안서에 도착했는데, 그 때 절도대사 조군(안서도호부 조이정)을 만났다.

또 안서에는 중국인 스님이 주지로 있는 절이 두 곳 있는데, 대승불교를 행하고 고기를 먹지 않는다. 대운사 주지 수행 스님은 설법을 잘하는데, 전에는 장안(당나라의 수도)의 칠보대사 스님이었다. 또 대운사 유나는 의초라는 스님인데 율장을 잘 해석한다. 옛날에는 장안의 장엄사 스님이었다. 대운사 상좌(계급이 높은 스님, 곧 상좌승) 명운은 도를 크게 닦았는데 역시 장안의 스님이었다. 이들 스님은 위대하고 훌륭한 주지로 매우 도심이 있고 공덕 쌓기를 즐겨 한다.

또 용흥사 주지 법해는 비록 변방 사람이나 어려서부터 안서에서 자랐다. 하지만 학식과 인품이 중국 본토인과 다르지 않다.

코탄에도 한 중국 절이 있는데 이름이 용흥사다. 한 중국인 스님이 있는데 이름이 ××다. 그는 이 절의 주인으로 위대하고 훌륭한 주지다. 그 스님은 황하 북쪽 기주 사람이다.

카시가르에도 중국 절로 대운사가 있는데 한 중국 스님이 주지로 있다. 그는 만주 사람이다.

또 안서로부터 동쪽으로 가면 옌지에 도착한다. 이 곳에도 중국 군대가 주둔하고 있다. 왕도 있는데 백성들은 오랑캐이다. 절도 많고 스님들도 많다. 이 곳에서는 소승불교가 행해지고 있다.

(위에 일곱 자가 빠졌음) 이것이 곧 안서 사진의 이름들인데, 첫째 안서, 둘째 코탄, 셋째 카시가르, 넷째 옌지이다. (아래는 없어졌음)

(위는 없어졌음) 그들은 중국의 법을 따라 머리에 두건을 둘렀고 바지를 입었다.(아래는 없어졌음)

표해록

최 부

지은이

1454~1504년. 조선 성종 때의 문신. 호는 금남. 1482년(성종 13년) 진사로 문과에 급제한 후 교서관의 박사 · 군자감주부 · 수찬을 지냈다. 《동국통감》, 《동국여지승람》 등의 편찬에 참여했다. 1498년 무오사화 때 김종직의 문인으로 붕당을 조직하여 국정을 비방했다는 죄로 단천에 유배되었고, 1504년 갑자사화 때 참형당했다. 저서로 《금남집》 등이 있다.

표 해 록

이 책은 조선 성종 시대의 문신 최부가 1488년 제주 삼읍 추쇄경차관으로 있을 때 아버지의 죽음으로 고향 나주로 돌아가는 도중 표류했던 기록을 책으로 엮은 것이다. 최부는 성종 1487년(성종 18년) 9월 17일에 제주 경차관으로 임명받아 11월 12일에 부임하였다.

성종 20년(무신) 1월

30일

저물녘에 우리 집 종 막금이가 고향인 나주로부터 상복을 가지고 와서 아버지가 돌아가셨음을 알렸다. 나는 서둘러 고향으로 돌아갈 준비를 하는데, 날씨가 좋지 않아 불안한 생각이 들었다.

윤정월

1일

비가 오고 바람이 약하게 불었다.

제주 목사가 조문을 해 오면서 수정사의 지자 스님의 배가 견고하고 빠르다고 하여 나에게 알선해 주었다. 그래서 그 배를 얻어 항구에 대게 하고 떠날 준비를 서둘렀다.

2일

날씨가 몹시 흐렸다.

새벽에 별도포 후풍관으로 나가 순풍이 불기를 기다렸다. 정의현 훈도 최각, 향교의 생도 김정린 등이 나를 전송하고자 15리나 되는 먼 길을 걸어 나왔으며, 제주 목사도 달려와 위로해 주었다.

3일

날씨가 흐려 비가 오다 말다 하며 동풍이 조금 부는데, 바닷빛은 매우 푸르렀다.

언뜻 보기에도 좋은 날씨는 아니었다. 대정현감 등 20여 명이 포구까지 전송을 나왔다. 한 자리에 있던 여러 사람들 중에서도 어떤 이는 떠나기를 권하고 어떤 이는 말리기도 해서, 해가 중천에 떠오를 때까지 결정짓지 못하고 있었다.

특히 김존려라는 사람이 강하게 만류하였다.

"저는 바다에서 나고 자라 물길을 잘 아는데, 한라산이 흐리고 비오는 것이 고르지 않으면 반드시 폭풍우로 변하는 수가 있으니 배를 타는 것은 위험합니다. 또한 《가례》에도 말하기를, 부모상을 당하여 갈 때에도 밤에는 쉬어 가라고 하였습니다. 애통하기야 이루 말할 수 없겠지만, 그래도 몸을 해쳐서는 안 되므로 밤중까지 강행하는 일을 삼가라는 뜻이지요."

"어찌하면 좋을까? 더 이상 지체할 수가 없는데……."

나는 망설이면서 먼 바다와 또 바다에 잇닿은 하늘을 하염없이 바라볼 뿐이었다.

그 때 안의라는 무관이 다가와 말하였다.

"경차관님, 동풍이 알맞게 불고 있으니 떠나도 괜찮을 듯합니다."

또한 옆에 있던 다른 두 사람도 권유하였다.

"갈 길이 바쁜데 어서 떠나시지요."

이윽고 출발하기로 마음을 먹은 나는 선원들에게 명을 내렸다.

"배를 띄워라."

나는 배웅 나온 사람들과 작별 인사를 하고 배에 올랐다. 배는 천천히 포구를 떠났고, 선창가의 사람들은 점점 멀어져 갔다.

노를 저어 5리쯤 갔을 때 군인 권산, 허상리 등이 말하였다.

"오늘은 바람이 일다 그치다 하고, 먹구름이 하늘을 뒤덮기도 하여 날씨가 고르지 않습니다. 이처럼 일기가 불순하고 파도가 거친 날에는 위험하오니, 다시 되돌아가서 순풍을 기다려 출발하는 것이 좋을 듯합니다."

하지만 안의는 의견이 달랐다.

"바다의 날씨라는 것은 예측하기 어려운 것으로서, 지금 구름의 움직임을 보면 먹구름인 때도 있으나 걷히는 때도 있으니 한 마디로 위험하다고 단정 지을 수는 없습니다. 예로부터 왕명을 받든 조신으로서 배가 표류하여 침몰된 사람은 없습니다. 이는 임금의 덕망이 무거움을 하늘이 알고 있기 때문이지요. 하늘이 우리의 갈 길을 살펴 주실 것입니다."

그리고 나서 안의는 선원들을 꾸짖어 돛을 올리도록 하고 항해를 시작하였다.

수덕도를 지나서 서편으로 지나니 바다 기운이 침침하고 어두운데, 바람이 약해지면서 비가 내렸다. 추자도라는 섬에 가까워지는데, 썰물의 형세가 매우 급하고 또 날이 어두워지므로 노 젓는 군사를 독촉하니, 군인들이 모두 '이 같은 날씨에 배를 낸 것이 누구의 잘못인가?' 라며 불평하고 노를 젓지 않았다.

조수의 퇴류를 따라 힘겹게 노를 저어 간신히 초란도에 도착하여 서안 밑에 닻을 내리고 그날 밤 거기서 머물기로 하였다. 일행은 한숨을 돌리고 배 안에서 하룻밤을 지낼 채비를 부산히 하였다.

그러나 날씨는 더욱 험악해져만 갔다. 빗줄기가 더욱 굵어지고 바람도 세차게 불었다. 칠흑 같은 어둠 속에 배가 끊임없이 흔들려 모두 불안하여 잠을 이루지 못하였다.

새벽녘에 허상리가 다가와 말을 건넸다.

"지난 밤에 배를 섬의 서쪽 해안에 대었기 때문에 동쪽에서 불어오는 바람은 막을 수가 있었습니다. 하지만 곧 북쪽에서 바람이 불 것 같으니 배를 다른 곳으로 옮겨야 할 것 같습니다."

"그러면 닻을 올려 그렇게 하여라."

그런데 닻을 올려 살펴보니 부서져 있었다. 이렇게 되니 배를 해안 다른 곳에 댈 수가 없었고, 때마침 불어오는 북풍에 배가 밀려서 의지할 곳이 없었다. 빗줄기는 더욱 거세어지고 바람도 더욱 심해져 배가 거친 파도에 휩쓸려 이리 기우뚱 저리 기우뚱 어디로 가는지 모르게 가고 있었다.

4일

바다에서 표류하다.

배가 바람 부는 대로 휩쓸려 어딘지 모를 바다 한가운데에 떠 있었다. 우박이 오고 큰 바람이 불어서 놀란 파도와 사나운 물결이 하늘에 닿을 듯 바다를 덮을 듯하고, 돛폭이 다 찢어졌다. 돛대 두 개가 높고 커서 배가 더욱 쉽게 기울어질 것 같았으므로 도끼로 찍어 버리게 했다.

생각해 보니 물에 빠져 죽을 것은 이제 정해진 이치이지만 혹시 하늘의 도움으로 빠지지 않는다 해도 정처 없이 표류하다가 죽을 것을 생각하니 앞이 까마득하였다. 배 안의 사람들을 헤아려 보니 모두 마흔세 명이었다.

한낮쯤 되자 비는 좀 멎었으나 바람이 크게 일어 배가 다시 기우뚱거리면서 정신없이 떠 가는 동안 어느덧 서해로 접어들었다. 그 때 사공 한 사람이 나에게 다가와 바다의 어느 한 곳을 가리키며 말했다.

"경차관님, 저기를 보십시오. 저기 아득한 곳에 탄환 한 개만한 것이 보이지 않습니까?"

"저것은 섬이 아니냐?"

"맞습니다. 제 생각으로는 아마 흑산도인 것 같습니다. 그런데 지금 우리 배는 섬의 반대쪽으로 흘러가고 있습니다. 저 섬을 그냥 지나치면 이제 섬이라고는 하나 없는 넓은 바다뿐입니다."

이 말에 우리 일행은 모두 어찌할 바를 몰라 수심에 잠겼다. 나는 안의에게 명하여 군인들을 독려하여 배 안에 스며든 물을 모두 퍼내게 하고, 배를 살펴 부서진 곳이 있으면 수리하도록 일렀다.

이제는 섬과의 거리가 너무 멀고, 또 세찬 물결을 거슬러 노를 저어 간다는 것은 불가능한 일이었다. 게다가 밤새껏 비바람과 싸우느라 모두들 지쳐 있었기 때문에 흔들리며 떠 가는 배에 목숨을 의지하는 수밖에 다른 도리가 없었다.

일행 중에는 제정신을 잃어 가는 사람도 생겨났다.

"도대체 이 같은 날씨에 배를 띄우자고 한 사람이 누구야? 아무리 있는 힘을 다하여 배 안의 물을 퍼내고 수리한다 해도 우리는 이제 죽은 목숨이야. 고생을 하다 죽느니 차라리 편하게 누워서 죽는 편이 나아."

그래서 내가 화를 내며 소리를 높였다.

"지금 배 안에 있는 사람은 수만 많을 뿐이지 모두 게으르고 불평만 하고 있다. 나는 아버님의 상을 당해 달려가는 몸이어서 조금도 지체할 수가 없었다. 어찌 자식된 도리로 잠깐 동안인들 지체할 수가 있었겠느냐? 너희들이 이렇게 된 것은 내 탓이 크지만 또한 상황이 그렇게 된 것을 어찌겠느냐? 그렇다고 가만히 앉아서 죽기만을 기다리겠느냐. 이 배는 튼튼하여 좀처럼 부서지지 않을 것이다. 그러니 각자 맡은 일에 최선을 다하기 바란다."

내가 엄하게 꾸짖자 그제서야 몸을 움직여 배의 망가진 데를 고치고 배 안에 괸 물을 퍼내었다.

하지만 그칠 듯싶었던 비가 또다시 내리고, 바람도 계속 불어 사람들은 점점 지쳐 갔다. 밤이 되자 배 안에 물이 반쯤 차올랐고, 옷이 젖어 추위가 뼈를 깎는 듯했다.

그 때 관노 권송이 분연히 일어나 부싯돌을 쳐서 횃불에 불을 붙였다. 그리고 배 밑에 괸 물을 퍼내기 시작하였다. 그것을 보고 다른 사람들도 죽을 힘을 다해 물을 퍼내니, 한참 만에 배 안의 물은 다 없어지고 안전하게 되었다.

5일

바다에서 표류하다.

캄캄한 안개가 사면을 가려서 한치 앞도 내다볼 수가 없었다. 저녁때가 되자 굵은 빗발이 마치 삼대 같았고 산더미 같은 파도가 날뛰었다. 모두들 발을 구르며 통곡하고 눈물을 흘렸다. 어떤 이는 두 손을 비비며 하늘을 우러러 도움이 내리기를 빌었다.

6일

바다에서 계속 표류하다.

날씨는 흐렸으나 바람은 조금이나마 약해졌고, 파도도 조금 수그러졌다. 사람들은 마음이 약간은 놓이는 듯 한숨을 내쉬었다. 사람들을 독려하여 봉옥을 이었던 돗자리로 돛을 만들고 장대를 세워서 돛대 기둥을 만들었으며, 그 전 돛대 밑기둥을 쪼개서 닻을 만드는 등 임시 조치를 취하고 바람을 따라 서쪽으로 향해 갔다.

얼마쯤 시간이 흘렀을 때였다. 갑자기 누군가가 소리쳤다.

"저것 좀 보세요!"

모두들 그 사람이 가리키는 곳을 보니, 큰 파도 사이에 검푸른 빛을 띤 물체 하나가 떠 있는 것이 눈에 들어왔다. 그 크기는 자세히 알 수 없으나 움직이는 물체가 물 위로 나타났을 때는 커다란 집채와도 같았다. 그것이 내뿜는 물줄기는 하늘을 쏘는 듯하고, 그것이 한 번 움직이면 물결이 뒤집혀 크게 놀라지 않을 수 없었다.

그 때 사공이 손을 흔들어 배 안의 사람들에게 아무 말도 하지 말고 조용히 하라고 경계하였다. 그리고 잠시 후 검푸른 물체가 먼발치로 지나가자 그 때서야 한숨을 돌리며 입을 열었다.

"저것은 고래인데, 큰 고래는 배를 삼킬 수도 있고, 작은 놈은 배를 엎어 버릴 수도 있소. 지금 우리는 다행히 그놈과 만나지 않아서 살 수 있었소."

밤이 되자 바람이 다시 세차게 불면서 풍랑이 거칠어지기 시작하였다. 바람을 맞아 배의 속도도 매우 빨라지기 시작하였다. 문득 안의가 무슨 생각이 들었는지 나에게 말했다.

"그 전에 들은 말로는 바다에 아주 탐욕스러운 용왕이 있다 하니, 여행 보따리에 있는 물건을 바다에 내던져서 무사하기를 비는 것이 어떠할까요?"

"만약 우리가 살아난다면 긴요하게 쓰일 물건들인데 어찌 바다에 버리자고 하느냐?"

하며 내가 반대했으나, 사람들 모두 안의의 의견에 동조하여,

"지금 용왕이 화가 나서 연일 바다가 풍랑을 일으키니, 당장에 쓰지 않을 물건을 찾아 내어 바다에 던집시다. 또한 물건을 버림으로써 배가 가벼워지면 가라앉을 염려도 없어, 일석이조의 효과를 볼 수 있습니다."

하며 앞을 다투어 의류 · 군기 · 철기 · 양식 등을 찾아서 바다에 던지니 나도 막을 방법이 없었다.

7일

바다에 표류한 지 5일째 되는 날이다.

날씨는 흐리고 바람의 기세가 사납고 파도가 크게 일었다. 한편 바다의 빛깔이 흰빛을 띠고 있었다. 하얀 물보라를 보자 갑자기 전에 정의 현감 채윤혜로부터 들은 말이 생각났다.

그것은 제주도에 오래 살아온 한 노인의 말로서, 맑게 갠 날 한라산 꼭대기에 오르면 바다의 저쪽 아득히 멀리 떨어진 곳에 하얀 백사장이 보인다는 것이었다. 그런데 지금 와서 추측해 보건대, 그것은 흰 모래밭이 아니고, 이 흰 바다를 두고 한 말인 것 같았다.

나는 권산 등에게 말을 건넸다.

"고려 때 제주 사람들이 배를 타고 중국 땅으로 갈 때에는 7일 낮과 밤을 흰 바다를 지나 건너갔다고 했는데, 지금 우리가 흰 바다에 떠 있으니 중국이 여기서 그리 멀지 않을 것이다."

"그럴까요?"

"바람이 순조롭게만 불면 이 배가 흰 바다를 건너 수월하게 중국 땅으로 갈 것이 아니겠느냐?"

"지금은 동풍이 불고 있습니다."

"이렇게 계속 동풍이 불어만 준다면 우리는 중국 땅에 도착해 목숨을 건질 수 있을 것이니, 각자 맡은 일에 최선을 다하면서 하늘에 빌어 보자꾸나."

이윽고 날이 저물자 안타깝게도 바람의 방향이 바뀌어 북풍이 불기 시작하였다. 그래도 권산은 계속해서 키를 서쪽으로 향하였다.

칠흑같이 어두운 밤에 또다시 사나워진 파도가 뛰놀고 물결이 배 위로 튀어올라와 사람들의 머리와 얼굴을 후려쳤다. 사람들은 모두 울부짖으며 어찌할 바를 몰랐다.

나 역시 죽음을 면치 못할 것으로 알고 홑이불을 찢어서 몸을 여러 번 둘러 감은 다음, 배 가운데에 있는 나무 기둥에다 묶어 놓았다. 이것은 죽은 뒤에도 시체가 배와 함께 오래 떠 있도록 하기 위해서였다.

하인 막금이와 거이산 등이 나에게 달려와서 부둥켜안고 통곡하였다.

"죽더라도 함께 죽읍시다."

안의도 큰 소리로 울면서,

"짠 바닷물을 마시고 죽느니 차라리 자살을 하겠다."

하면서 활시위 줄로 목을 맸으나 김율이 구해서 죽지는 않았다.

이렇게 죽을 수밖에 없는 처절하고 애끓는 통곡과 절망을 그냥 두고 볼 수 없어 나는 사공과 곁꾼들을 큰 소리로 불렀다.

"배가 부서졌느냐?"

"아닙니다."

"그럼 키가 없어졌느냐?"

"아니, 있습니다."

나는 거이산을 불러 일렀다.

"파도가 험하고 정세가 급박하지만, 배는 아직 무사하다. 물만 퍼내면 살아날 가망이 있으니 신체 건장한 네가 앞장서서 물을 퍼내거라. 일전에도 네가 제일 먼저 나서서 물을 퍼내지 않았느냐."

하지만 물을 퍼낼 만한 그릇이 다 부서지고 없었다.

이 때 안의가 임기응변으로 칼을 가지고 배에 비치된 작은 북의 한 면을 찢어서 오려 내고, 다른 한 면은 물이 흐르지 않게 단단하게 손질하였다. 그러자 그럴 듯한 물 푸는 그릇이 되었다.

"이만하면 물 푸는 그릇으로 손색이 없습니다."

거이산은 배 밑에 괴어 있는 물을 퍼내기 시작하였고, 권송이며 다른 사람들도 도왔다. 배가 풍랑으로 심하게 흔들렸으므로 물을 퍼내기가 무척 힘이 들었다. 사력을 다하여 물을 퍼냈으나 물은 여전히 무릎이 찰 정도로 남아 있었다. 그래도 번갈아 가며 쉬지 않고 몇 시간 동안 퍼낸 결과, 배의 기울어짐이 전보다 훨씬 덜 하였고, 배는 침몰을 면하였다.

8일

바다에서 계속 표류하다.

날씨가 몹시 흐린 가운데 한낮을 지나자 서북풍이 다시 불어 배가 동남쪽을 향하여 거꾸로 흘러가고 있었다.

나는 키를 잡고 있는 권산 등에게 힘을 북돋워 주기 위하여 말을 건넸다.

"너희들이 키를 잡고 뱃길을 바로 하려면 방향을 잘 알아야 한다. 내가 전에 지도를 보니, 우리 나라 흑산도에서 동북으로 향해 가면 곧 충청도와 황해도의 경계요, 북쪽으로 똑바로 가면 평안도와 요동 등지이다. 서북은 중국의 청주, 연주 지경이요, 서쪽으로 똑바로 가면

서주, 양주가 나온다. 송나라 때에 고려와 왕래하는 데는 명주에서 바다로 나왔으니 명주는 양자강 남쪽 땅이라 했다. 서남쪽은 예전 민나라 땅으로 지금의 복건로요, 서남을 향해서 가다가 조금 남서쪽으로 가면 섬라, 점성 등이고, 남쪽으로 똑바로 가면 유구국이며, 정남에서 조금 동으로 가면 여인국인 일기도가 되고, 동쪽으로 똑바로 가면 일본과 대마도가 된다. 잘 기억해 두었다가 운전을 하거라."

이에 대해 권산 등은,

"맑은 날에 해와 달과 별로써 추측할 수 있는 때라도 해상의 방위는 잘 모르는데, 지금은 흐린 날씨가 날마다 계속되고 있어 낮인지 밤인지 새벽인지 초저녁인지조차 분간을 못 하고 있는 형편입니다. 다만, 바람의 변화만으로 동서남북을 추측할 뿐인데 어떻게 올바른 방향을 판단할 수 있습니까?"

하며 모두들 머리를 마주 대고 슬피 울고만 있었다.

9일

바다에서 계속 표류하다.

아침이 되자 여느 때와는 달리 날이 환하게 개어 햇빛이 배 안에 쏟아져 들어왔다. 그처럼 두꺼웠던 구름이 걷히고 조각구름이 하늘에 흩어져 그 사이로 파란 하늘이 바라보였다.

"아, 파란 하늘이다!"

누군가 소리쳤다.

그러자 배 안은 얼마쯤 생기를 되찾았다.

하지만 밤 사이에 바람이 어느 쪽으로 바뀌었는지 알 수가 없었다. 따라서 우리 배도 어느 곳으로 흘러왔는지 종잡을 수가 없었다.

우리가 탄 배는 여러 날 파도의 충격을 입어서 돛대와 앞머리의 세

군데 널쪽이 모두 흔들려 부러질 것 같고, 또 물이 새어들어 와서 저절로 부서질지도 모르는 일이었다. 나는 빨리 손을 보아야겠다는 생각을 하였다. 그래서 몇 사람을 시켜 뱃줄을 끊어서 뱃머리와 꼬리를 감아 묶고 나무를 깎아서 대도록 하였다.

배를 대충 손보고 나서 한숨을 돌릴 즈음 문득 갈매기 떼가 날아가는 것이 눈에 들어왔다.

"저것은 갈매기가 아닌지요?"

사람들이 모두 기뻐하며 나에게 물어 왔다. 그러자 옆에 있던 한 사람이 말하기를,

"소인이 일찍이 들은 바에 의하면, 물새는 낮에는 바다 위에서 놀다가 밤에는 섬으로 돌아가서 잔다고 합니다. 우리가 저 물새를 보게 되었으니, 반드시 가까운 곳에 섬이 있을 것으로 여겨지옵니다."

하였다. 그 말에 내가,

"갈매기는 한 종류가 아니고 여러 종류가 있어, 어떤 놈은 바다가 아니고 강이나 호숫가에서 사는 놈도 있다. 하지만 일반적으로 바다 가운데서 떼를 지어 조수를 따라 날아다니다가, 3월 바람이 불어야만 섬이나 뭍으로 돌아간다. 지금은 1월이므로 갈매기가 바다 한가운데서 날고 있을 때다."

하는 말을 마쳤을 때, 이번에는 가마우지 두어 쌍이 날고 있는 것이 눈에 띄었다.

이번에는 나도 약간 의심이 들면서, '혹시 가까운 곳에 섬이 있는 것이나 아닐까?' 하는 희망을 갖게 되었다.

이윽고 한낮이 되어 남쪽을 바라보니, 구름이 뭉게뭉게 피어오르고, 수평선에 산 모양 같은 것이 어렴풋이 떠올라 보였다. 조금 더 가니 인가인 듯한 기운이 있어 아마 유구국(류큐, 일본 오키나와의 옛 이름)일 것

이란 생각이 들면서, 이대로만 간다면 오늘 안으로 닿을 수 있을 것으로 짐작하였다.

그런데 조금 지나자 느닷없이 동풍이 불어 배가 서쪽으로 향하게 되었다. 급기야 밤이 어두워지면서 바람이 더욱 강해져 배의 빠르기가 마치 나는 화살 같았다.

10일

바다에 계속 표류하다.

비가 오고 동풍이 어제와 같았는데, 오후에는 바닷빛이 도로 푸르러졌다.

앞서 제주도를 떠날 때, 뱃사람의 무지로 육지의 물을 거룻배에 따로 실어 이 배를 따라오게 했는데, 처음 풍랑을 만났을 때 밧줄이 끊기면서 거룻배가 떨어져 나가고 말았다. 그러니 배 안에는 한 그릇의 식수도 없어 밥을 지을 수도, 물을 마실 수도 없었다. 비가 내릴 때 빗물을 받아 먹으며 간신히 목을 축였다.

11일

바다에 표류한 지 벌써 9일째가 되었다.

배가 밤 사이에 물결에 떠밀려 어느 섬에 가까이 다다랐다. 하지만 바위가 높고 가파를 뿐만 아니라 물결이 몇 길씩 뛰어올라, 배가 물결을 따라 바위에 부딪쳐 부서질 것만 같았다. 권산이 큰 소리로 울면서 힘껏 노를 젓고, 효자와 정보 등이 돛가의 줄을 잡고 늦추었다 당겼다 하며 배를 움직여 간신히 바위에 부딪치는 것을 막았다.

그 섬을 지나자, 바다 여기저기에 또 다른 섬들이 나타났으나 모두 배 대기가 위험했다. 저녁이 되어 겨우 한 섬에 도착했는데, 고이복이 옷을 벗고 물 속으로 뛰어들어 가서, 뱃줄을 끌어당겨 섬 가장자리에 매어 놓고 사람들을 뛰어내리게 했다.

갈증과 허기에 지친 사람들이 시냇물을 발견하자 어쩔 줄을 모르고 다투어 가며 손바닥으로 물을 떠 마셨다. 그리고 그 물을 지고 와서 밥을 지으려고 하였다.

"굶주림이 극도에 달하면 오장이 붙어 버리니, 갑자기 배부르게 먹으면 목숨이 위험하다."

하면서 내가 밥 짓는 것을 말렸다.

"그러면 계속 굶어야 한다는 것입니까?"

"아니다. 먼저 미음을 끓여 마신 다음, 죽을 쑤어 먹는 것이 좋을 듯하다."

내 말에 따라 모두 죽을 끓여 먹고 허기를 면하였다. 하지만 밤이 되자 찬바람이 심하게 불어 모두들 추위에 떨었다.

"이제 우리 배는 섬이 많은 바다에 떠 있으니까 다시 큰 바다로 떠내려갈 염려는 없을 것이다. 그러니 배에 돌아가서 눈을 붙이고 다른 큰 섬을 찾아보도록 하자."

내가 명령을 내리자 모두들 다시 배로 돌아왔다.

12일

영파부 지경에서 도적을 만나다.

이 날은 흐리다 비오다 하다가 바닷빛이 다시 희어졌다.

저녁 무렵에 큰 섬에 도착하였는데, 섬이 잇닿아 병풍처럼 되어 있었다. 우리 배가 천천히 섬을 향하여 다가가고 있는데, 중선 두 척이 거룻배를 매달고 우리 쪽으로 다가오고 있었다.

이 때 정보 등이 내 앞에 무릎을 꿇고 앉아 말하였다.

"모든 일에는 항상 변치 않는 도리가 있는 법이오니, 우선 상복을 벗으시고, 사모와 단령을 차려 입으셔서 관원의 위엄을 보이십시오. 그렇지 않으면 저들이 우리를 해적인 줄 알고 무슨 욕을 보일지 모릅니다."

내가 대답하기를,

"이렇게 바다에서 표류하는 것도 하늘의 뜻이요, 여러 차례 죽을 고비를 넘기고 다시 살아난 것도 하늘의 뜻이다. 또 이 섬에 이렇게 도착하여 저 배를 만난 것도 하늘의 뜻이니, 하늘의 이치는 본디 곧은 것이라 했는데 어찌 하늘을 속이고 거짓을 행하겠는가."

하고 그대로 앉아 있었다.

이윽고 두 척의 배가 가까이 와서 우리 배와 서로 마주 대하게 되었다. 한 배에 열 사람쯤 타고 있었는데, 모두들 검은 솜바지를 입고 짚신을 신고 있었다. 그 중엔 수건으로 머리를 동인 사람도 있었고, 댓잎으로 만든 패랭이를 쓰고 종려 껍질로 만든 도롱이를 입은 사람도 있었다. 모두들 알아듣지 못할 말로 떠들어 대며 소란을 피웠다.

중국인들이라고 짐작을 한 나는 정보를 시켜서 글을 써 보냈다.

'조선국 신하 최부가 왕명을 받들고 제주도에 갔다가, 부친상을 당하여 고향으로 가던 중 폭풍을 만나 표류하다가 이 곳에 도착하였소. 여기가 어느 나라 땅인지 알고 싶으니 가르쳐 주시오.'

잠시 후 답장이 왔다.

'이 곳은 대당국 절강의 영파부 지방인데, 본국으로 돌아가려면 대당으로 해서 가는 것이 좋을 듯하오.'

그 때 정보가 손으로 입을 가리키면서 목이 마르다는 표시를 하였다. 그러자 그들은 마실 물 두 통을 보내 주고는 배를 저어 다른 곳으로 가 버렸다.

내가 사공을 시켜 배를 한 섬에 이르게 하려고 준비하고 있는데, 또 다른 배 한 척이 거룻배를 달고 다가왔다. 7, 8명쯤 되고 말소리나 옷차림이 앞서 본 사람들과 같았다.

배가 서로 맞닿자, 우두머리인 듯한 사람이 우리에게 물었다.

"어느 나라 사람이오?"

나는 정보를 시켜 전처럼 대답하고 다시 물었다.

"여기가 어느 나라 땅이오?"

"여기는 대당 영파부 땅 하산이란 곳이오. 바람만 좋으면 이틀이면 육지에 갈 수 있소."

"우리 일행이 풍랑을 만나 사경을 헤매던 끝에 다행히 중국 땅에 와서 살아나게 되었으니 매우 기쁩니다."

나는 이렇게 말하고 그의 이름을 물었다.

"나는 대당의 임대라는 사람이오. 만약 당신들이 대당으로 가고 싶거든 갖고 있는 보물들을 나에게 주시오. 그렇게 한다면 길을 안내해 드리리다."

"나는 임금의 명을 받든 신하이지 장사치가 아닙니다. 더구나 표류를 당해 떠돌던 끝인데 어찌 보물이 있겠소?"

나는 이렇게 말하며 쌀을 덜어 주었다. 그들은 그것을 받은 후 다시 말했다.

"이 섬은 북서풍이면 배를 매어 둘 수 있어도 남풍은 좋지 않으니 우리를 따라와 배를 대시오."

우리는 그들을 따라가 배를 대었다. 살펴보니 그 곳은 정말 무풍지대로 섬 어느 곳이나 배를 댈 수 있었다. 또한 서쪽 해안으로는 초가 두 채도 있었다. 우리는 그쪽으로 갔다. 살펴보니 생선 포를 뜨는 집 같았다.

우리는 초가에서 물을 얻어다 밥을 지어 먹은 후, 실로 오랜만에 굶

주림과 목마름에서 벗어날 수 있었다. 배에 돌아와서는 모두들 곯아떨어져 팔베개를 한 채 정신없이 잠을 잤다.

그런데 새벽녘이 되었을 때, 아까의 그 임대라는 자와 그가 데려온 듯싶은 20여 명의 장정이 배에 올라와 있었다. 그들은 횃불을 든 채 어떤 자는 창을, 어떤 자는 작두를 들고 선실로 들어왔다. 그리고 나를 둘러쌌다.

"밤중에 무슨 일이오?"

내가 글로 써서 묻자, 임대라는 두목도 글을 써서 보였다.

"나는 관음불같이 너희들 마음을 훤히 꿰뚫고 있다. 너희들이 가지고 있는 금은보화를 찾아낼 것이다."

"우리 나라에서는 금과 은이 나지도 않을뿐더러 우리는 그런 것을 가지고 있지도 않소."

내가 항의했다.

"네가 벼슬아치라면 어찌 금과 은이 없겠느냐? 우리가 찾아서 가져갈 것이니 그리 알거라."

임대가 나에게 윽박질렀다. 그러고 나서 배 안을 샅샅이 뒤져 의복과 양식을 모조리 자기들 배에 옮겨 실었다. 그들이 남겨 놓은 것은 바닷물에 절은 옷과 몇 가지 서책뿐이었다. 그들 가운데 한쪽 눈이 먼 자가 더욱 흉악했다.

정보가 분을 참지 못하고 내게 말했다.

"저들에게 처음부터 점잖게 대하여 우리 기세가 약함을 보였습니다. 그래서 저들이 마음대로 행패를 부리고 있으니, 이제는 사생을 결단하고 한번 맞붙어 우리의 위세를 보여야 할 것입니다."

이에 내가 말했다.

"도둑들은 지금 우리가 지쳐 있는 것을 알고 덤비는 것이다. 지금 저 자들과 싸워 봤자 우리 모두 죽게 될 것이니, 차라리 가지고 있는 것을 모두 줘 버리고 살려 주기를 비는 것만 못하다."

도적의 우두머리는 내가 갖고 있는 인신과 마패를 빼앗아 품에 넣었다. 이를 본 정보가 그의 뒤를 따라다니며 돌려 달라고 하였으나 들어 주지 않았다.

"배 안에 있는 물건은 다 가져가도 좋소. 하지만 인신과 마패만은 나라의 물건이어서 당신이 가져가도 아무 쓸모가 없으니 돌려주시오."

내가 사정하니 도적의 괴수는 하는 수 없이 돌려주었다.

도적들은 뱃전에 모여 서서 한참을 떠들다가 다시 배 안으로 들어왔다. 맨 먼저 정보의 바지와 저고리를 벗기고 곤장으로 때렸다. 다음에는 작두로 내 옷고름을 끊어 발가벗기고는 손은 뒤로, 다리는 굽게 하여 꼼짝 못하게 묶고는 곤장으로 내 왼팔을 일고여덟 번을 치며 말했다.

"살고 싶거든 금은을 내놓아라."

"내 몸이 짓이겨지고 내 뼈가 부서진다 한들 어찌 금은을 얻을 수 있겠느냐."

내가 악을 쓰며 대들자, 도적의 우두머리는 내 말을 알아들을 수 없음인지 나를 풀어주고는 글을 쓰라고 했다. 그래서 그대로 써 주었더니, 도적은 눈을 부릅뜨고 정보와 나를 번갈아 가리키며 뭐라고 소리를 질렀다.

그러더니 내 머리채를 잡아 나를 거꾸로 매달고는 작두로 내 목을 찍는다는 것이 잘못되어 오른편 어깨 아래로 떨어졌다. 도적이 다시 작두를 집어들어 나를 베려고 하자 무리 중 한 놈이 작두를 붙잡고 말렸다.

도적들은 일제히 큰 소리로 뭐라고 지껄여 대는데 무어라고 하는지 알아들을 수가 없었다. 이 기가 막힌 광경을 지켜본 우리 일행들은 무서워서 벌벌 떨며 어디로든 숨고자 하나 숨을 곳이 없었다. 오직 김중과 거이산 등이 무릎을 꿇은 채 두 손을 모아 빌고 절하며 내 목숨을 살려 달라고 애원하고 있었다.

도적의 괴수는 내 몸을 마구 짓밟으면서 껄껄대고 웃더니 잠시 후 일당을 데리고 밖으로 나갔다. 그리고 우리 배의 돛과 노를 끊어 버리고 배 안에 있던 모든 것을 바닷속으로 던져 버렸다. 그리고는 자신들의 배에 우리 배를 매달고 바다 한가운데로 나가서는 우리 배를 떼어 놓고는 달아나 버렸다.

13일

또다시 바다에 표류하게 되다.

날씨가 흐리고 서북풍이 크게 불었다. 우리가 탄 배는 또다시 끝이 없는 망망대해로 떠내려가고 있었다.

우리는 갖고 있던 솜옷을 모조리 도적에게 빼앗겼고, 입고 있는 옷은 오랫동안 짠물에 절어 젖은 채 있어서 모두 얼어 죽을 판이었다. 또한 배에 있던 양식도 다 빼앗겨서 머지않아 굶어 죽을 판이었다. 게다가 닻이고 노고 도적들이 모조리 바다에 던져 버렸고, 임시로 만든 돛도 바람에 찢겨 못 쓰게 되었으므로, 배는 이제 바람과 조수를 따라 이리 흘러갔다 저리 흘러갔다 할 뿐이었다.

이렇게 되니 뱃사공들도 속수무책이었고, 이대로 가다가는 물 속에 가라앉을 시간이 머지않아 보였다. 일행들은 모두 목이 메여 소리조차 낼 수 없었으며, 오직 죽기만을 기다리고 있었다.

그 때 이효지가 내게 말했다.

"저희들이 이렇게 죽는 것은 분수에 맞는 일이오나 경차관님이 이런 죽음을 당하는 것은 매우 억울한 일이옵니다."

"너희들이 이렇게 죽는 것은 당연하고, 왜 내 죽음은 억울하다는 것이냐?"

"저희가 살고 있는 제주도는 큰 바다 가운데 있어 물길로 9백 리나 되는데, 파도 또한 다른 바다보다 사납습니다. 그래서 공선과 장삿배의 왕복이 연락 부절한 상태이고, 사납고 흉포한 파도 때문에 표류되거나 침몰하는 배가 열에 다섯 여섯이나 됩니다. 그래서 오늘 살아 돌아왔다고 해서 내일을 장담할 수 없는 것이 제주 남자들의 목숨입니다. 그런 이유로 섬에는 남자의 무덤이 별로 없고, 동네에 돌아다니는 사람도 여자가 남자보다 세 배는 많습니다. 부모들도 딸을 낳으면, '나에게 효도할 자식이다' 고 말하고, 아들을 낳으면, '내 자식이 아니고 고래나 상어의 밥이다' 고 말합니다. 우리의 목숨은 하루살이와 같아서 평온한 날이라 하더라도 집 안에서 죽기를 바랄 수는 없습니다. 그렇지만 경차관님 같은 조신들이 타고 다니는 배는 속도도 빠르고 견고해서 순풍만을 기다려 운행하면 풍랑에 죽는 사람이 드뭅니다. 그런데 어쩌다 불행하게도 표류를 당하여 이 지경에 이르렀으니 그것이 통곡할 일입니다."

14일

바다에 계속 표류하다.

다행히 날씨가 맑아 오랜만에 파란 하늘을 보게 되었다.

종일 표류하던 끝에 한 섬 근처에 닿았다. 망망한 바다 한가운데에 있는 무인도였다. 북풍은 피할 수 있었으나 닻이 없는 것이 걱정이었다.

문득 제주도를 떠나올 때 실었던 돌덩이들이 생각났다. 그 때는 배가 매우 큰 데에 비해 실을 물건이 없어 배가 흔들리지 않게 하기 위해 실었던 것들이다. 우리는 큰 돌덩이 네 개를 새끼줄로 얽어매어 임시로 닻을 만들었다.

그러고 있는 사이 사람들 사이에서 이 배가 풍랑을 만나 표류하게 된 것은, 떠나기 전에 제사를 지내지 않았기 때문이니 아니니 하는 말들이 오고갔다. 그리고 그것이 말싸움으로까지 변해 갔다. 나는 이 광경을 보고 어이가 없기도 하고 한심한 생각이 들어서 한 마디 아니 할 수가 없었다.

"바다 귀신이 음식을 차려 놓고 빈다고 해서 우리에게 재앙을 없애고 복을 줄 것 같으냐? 우리가 이렇게 된 것은 내가 갈 길이 바빠서 날씨를 잘 살피지 않고 출발했기 때문이다."

내가 꾸짖자 안의 등은 내 말에 수긍하지 않는다는 듯 시무룩한 표정을 짓고는 입을 다물었다.

15일

끝없는 바다에 표류하다.

동풍이 다시 불고, 날씨는 흐렸지만 풍랑은 그다지 심하지 않았으므로 배를 띄울 수가 있었다. 하지만 사람들은 도적을 만나 바다에 다시 표류하게 된 이후로 모두들 살려는 뜻이 없어 보였다. 물이 새어 들어와 발 밑에 차 올라도 퍼낼 생각조차 하지 않았다.

하는 수 없이 내가 나서서 물을 퍼내기 시작하였다.

"경차관님, 그만두십시오."

누군가가 말렸다.

"아니다. 이렇게 가만히 있다가는 모두들 빠져 죽을 수밖에 없다. 나라도 물을 퍼내야 배가 가라앉지 않고 살 수 있다."

"그러면 제가 퍼내겠습니다."

정보가 나에게서 물그릇을 받아들고 물을 퍼내기 시작하였다. 그러자 다른 사람들도 하나둘 기운을 차리고 나서서 물을 푸니, 잠시 후 배 안에 괴었던 물이 거의 없어졌다.

저녁 무렵이 되자 비가 내리기 시작하였다. 사람들은 빗물로 목을 축이며 허기를 달랬다. 배가 어느 큰 섬 근처에 갔으나 마침 썰물 때였으므로 배를 대지 못하고 해안 가까이에 돌덩이로 만든 닻을 내렸다.

16일

우두 바깥 바다에 도착하여 묵다.

날씨가 흐리고 바다는 검붉은 빛을 띠고 있었다.

서쪽을 바라보니 연이은 산봉우리와 첩첩한 산이 하늘에 닿을 듯 바다를 둘러싸고 있었다. 그리고 산봉우리 사이에는 사람이 사는 집이 있는지 연기가 피어오르는 것이 보이기도 했다. 마침 동풍이 불어 그 바람을 타고 가까이 가 보니, 산 위에 봉수대가 여기저기 눈에 띄어 중국 땅에 이르렀는가 싶어 기뻤다. 사람들의 얼굴에도 모두 기쁨의 빛이 떠올랐다.

오후에는 비가 자욱하게 내리기 시작했는데, 배가 바람에 실려 두 섬 사이로 흘러 들어갔다.

그런데 멀지 않은 곳에 중선 여섯 척이 줄지어 정박해 있었다.

정보 등이 내게 말했다.

"경차관님, 이번에는 관복으로 바꿔 입으십시오. 앞서 하산에서는 관인의 위엄을 보이지 않아 도적을 만나 죽을 뻔했으니, 이번에는 의관을 갖추어 저들에게 위엄을 보이십시오."

잠시 후 여섯 척의 배가 다가와 우리 배를 둘러쌌다. 한 배에 7,8명씩 타고 있었는데, 옷이나 말씨가 지난번 만났던 도적들과 비슷하였다. 우두머리인 듯한 자가 종이에 글씨를 써서 우리에게 물어 왔다.

"당신들은 다른 나라 사람들 같은데 어디서 왔소?"

나도 정보를 시켜 글로써 대답하였다.

"나는 조선국 조정에 근무하는 신하로, 임금의 명을 받들어 섬에 갔다가 부친상을 당하여 집으로 돌아가는 길이었는데, 폭풍을 만나 여기까지 오게 되었소. 여기는 어느 나라 땅이오?"

"이 바다는 우두라는 지경의 바깥 바다로서, 대당국 태주부 임해현의 경계에 속해 있소."

정보가 손으로 입을 가리키며 목이 마르다는 표시를 하자, 그들은 물통을 가져다 주었다. 그리고 북쪽 산을 가리키며 말하였다.

"저 산에 샘이 있으므로 물을 길어다 밥을 지을 수 있을 것이오. 그리고 혹시 후추 가진 것이 있으면 조금만 주시오."

"우리 나라에는 후추가 나지 않으므로 가진 것이 없소."

내가 대답하자 그들은 알겠다는 듯 고개를 끄덕이더니, 배를 조금 물려서 우리 배를 둘러싼 채 닻을 내렸다.

우리 배는 언덕에 의지하여 댔다. 그리고 나서 안의 등을 시켜서 산에 올라가 바라보게 하니 과연 육지와 잇닿아 있는 곳이었다.

나는 뱃머리에 앉아 그 동안 지내온 일들을 곰곰이 생각해 보았다. 바다에서 심한 풍랑을 만나 표류한 지 꼭 보름 만에 섬이 아닌 육지에 닿게 되었다. 죽을 고비를 몇 번이나 당했지만 다행히 우리 일행 중에 생명을 잃은 이는 한 사람도 없다.

눈을 돌려 바다를 바라보니, 이 곳의 바다는 제주의 바다와 많이 다른 것을 알 수 있었다. 제주의 바다는 빛깔이 짙푸르고 바람이 조금만 불어도 물결이 사나워지기 일쑤인데, 이 곳의 바다는 빛깔이 옅어 흰빛에 가까웠고, 물결도 잔잔하여 큰 바람만 아니면 심한 풍랑을 겪을 일은 없을 것 같았다.

제주 바다의 경우, 해마다 정월이 되면 혹독한 추위가 계속되고 거센 바람이 불며, 흙비로 인하여 흐린 날이 연일 이어지는 상황이어서, 바다를 아는 사람들은 이 시기에 배를 타는 것을 매우 꺼렸다. 그것은 윤정월이라도 마찬가지였다. 그런데도 나는 아버지의 상을 당하여, 급한 마음에 동풍이 부는 것만을 믿고 배를 띄웠다가 이 지경에 이른 것이다.

보름 동안 허기와 목마름 속에서 온갖 고초를 겪었으나, 요행히 생명을 보전하여 해안에 배를 댈 수 있었던 것은, 빗물을 짜서 마른 창자를 축이고 또 배가 견고하여 능히 바람을 이겨 낼 수 있었기 때문이다.

17일

배를 버리고 육지에 오르다.

아침부터 비가 내려 모두들 비를 피하여 배 안에 웅크리고 앉아 있었다. 어제 만났던 여섯 척의 배가 또다시 다가왔다. 그 중 우두머리가 나에게 글을 써서 물어 왔다.

"당신들은 좋은 사람들인 것 같소. 진귀한 물건이 있으면 우리에게 조금만 나누어 주시오."

"우리는 오랫동안 바다에 표류한 몸이오. 진귀한 물건이 있을 리 없소."

"하지만 내게 뭔가를 주어야만 육지로 가는 길을 가르쳐 줄 수 있소."

"정 그렇다면 우리가 타고 온 배를 가지시오. 이 배는 아주 튼튼하게 만들어졌소."

내가 이렇게 대답하며 사람이 살고 있는 마을이 어디인가를 묻자, 각기 의견이 분분하여 떠들어 댔다.

"가까운 곳에 관청이 있으니 당신네들이 가려면 얼마든지 갈 수가 있소."

"그 곳에 마을도 있소?"

내가 묻자, 이번에는 다른 사람이,

"앞으로 1리만 가면 마을이 있소."

하고 대답하자 또 다른 사람이,

"여기서 마을까지는 무척 머니 지체 말고 빨리 가시오."

하고 답하였다.

"그럼 관청까지는 얼마나 가야 합니까?"

내가 묻자, 그 대답도 한 사람은,

"150리쯤 되오."

하고, 다른 사람은,

"240리쯤 되오."

하였다.

이렇게 서로 다른 말을 하는 것을 보니, 아마도 그들이 나를 속이려는 듯이 보였다.

그러더니 그들은 갑자기 배 안의 여기저기를 뒤지기 시작하였다. 그리고 조그마한 물건이라도 보이면 서로 빼앗아 가지려 다투었다.

잠시 후 우두머리가 나에게 와서 하는 말이,

"우리를 따라가지 않으면 화를 당할 것이다."

하며 으름장을 놓았다.

그러자 안의는 배를 버리고 그들이 하자는 대로 따라가자고 하였다. 하지만 이정은 그들 중 한 놈을 쳐죽여서 그들을 쫓아 버리자고 했다. 이에 대해 나는,

"너희 둘 다 틀렸다. 만일 저자들이 도적이라면, 전날처럼 바다 한가운데로 끌려가서 버려지든가 아니면 죽음을 당할 것이다. 또 그게 아니고 어부라든가 방어하는 민병이라면, 우리가 쳐죽였다가는 우리 모두 잡혀 신문을 당할 것이 뻔하다. 그러니 꾀를 서서 형세를 살피는 것이 현명하다."

라고 말했다. 나는 이윽고 글을 써서 그들에게 말을 전했다.

"우리는 오랫동안 표류한 탓에 몹시 피곤하고 배가 고프오. 부탁이니 밥을 지어 먹고 배고픔을 면한 후에 당신들을 따라가겠소."

그들은 잠시 생각해 보더니 고개를 끄덕이고는, 우리 배를 둘러싼 채 닻을 내렸다. 찬비가 주룩주룩 내리기 시작하자, 그들은 모두 선창 안으로 들어가 버리고 우리를 감시하는 사람이 한 명도 없었다.

나는 사람들을 한자리에 모이게 하였다.

"지금부터 내 말 잘 들어라. 저자들은 아무래도 수상하다. 우리의 목숨을 살려 둘 것 같지 않으니, 배를 버리고 우선 산으로 도망치자꾸나. 마침 비가 내리고 있으므로 저들에게 들키지 않고 도망칠 수 있

을 것이다."

"산으로 도망친 다음에는 어떻게 합니까?"

"이 산은 육지와 닿아 있으므로 가다 보면 인가를 찾을 수 있을 것이다. 먼저 저 언덕을 넘어서 산으로 들어가자."

모두 비장한 표정으로 내 얘기를 듣고 있었다.

내가 앞장을 서고 몇 사람씩 짝을 지어 조심스럽게 배에서 내렸다. 그리고 모두들 무사히 숲 속에 도착하였다.

그 때부터 우리는 걷기 시작하였다. 아픈 사람은 다른 사람의 부축을 받으며 걸었다. 비를 맞으며 6, 7리 가량을 힘겹게 걸어 마침내 한 채의 낡은 사당 앞에 이르렀다. 우리는 그 곳에서 잠시 쉬어 가기로 했다.

"모두들 고생했다. 우리는 그 동안 온갖 고생을 함께하면서 여기까지 왔다. 앞으로도 어떤 어려움이 닥치더라도 서로 도와야 하고, 밥 한 숟가락이라도 나누어 먹어야 한다. 누가 아프면 낫도록 도와서 고국에 돌아갈 때까지 한 사람이라도 죽는 일이 없어야 한다."

"잘 알겠습니다."

내 말에 모두들 고개를 끄덕이며 대답하였다.

"우리 나라는 예로부터 동방예의지국으로 알려져 왔다. 그러니 이 곳 사람들을 만나면 깍듯이 예의를 갖추고, 함부로 행동해서는 안 된다. 알겠느냐?"

"명령대로 하겠습니다."

비가 뜸해지자 우리는 다시 길을 떠났다. 얼마쯤 가자 마을이 나타났다. 우리 일행을 발견한 마을 사람들이 하나둘씩 모여들기 시작하였다. 나는 구경꾼들 앞으로 나가 공손히 절을 하였다. 그러자 그쪽에서도 소매를 합치고 몸을 굽혀 답례를 해 왔다.

나는 글을 써서 우리가 여기까지 오게 된 사연을 알렸다. 그러자 그 중에 글을 아는 사람이 읽어보더니 역시 글로써 물어 왔다.

"그러면 앞으로 어떻게 할 작정이오?"

"바라건대, 어른께서 관청에 알려 거의 죽어 가는 우리의 목숨을 살려 주기 바라오."

그러고 나서 나는 가지고 있는 인신과 관대, 문서 등을 그들에게 보여 주었다. 그 사람은 그걸 보고 난 다음, 내 앞에 진무, 배리 등이 줄을 지어 무릎을 꿇고, 말단 군인들까지 꿇어앉아 있는 것을 보고는 매우 흡족해하는 눈치였다.

"조선국이 예절을 잘 지키는 나라임은 오래 전에 들었는데, 과연 듣던 대로군요."

그는 하인을 시켜 먹을 것과 마실 것을 가져오게 하였다. 오랜만에 음식을 본 사람들은 미친 듯이 먹어 댔다. 우리가 음식을 다 먹고 나자 그 사람은 동구 밖의 불당을 가리키면서,

"저 불당에 들어가 쉬시오."

하였다. 우리는 불당에 들어가 젖은 옷을 말리며 쉬었다.

저녁때가 되자 그 사람은 밥을 지어 와 먹게 하였다. 나는 몇 번이나 고맙다고 머리를 숙였다.

"당신들이 떠난다면 좋은 곳을 가르쳐 드리겠소."

그 사람이 빨리 떠났으면 하는 표정으로 나에게 말을 건넸다. 나 역시 도적들이 추격해 올지도 모를 일이었으므로 빨리 떠나는 것이 좋겠다는 판단을 하였다.

"그 좋다는 곳은 여기서 얼마나 됩니까?"

"한 2리쯤 가면 되오."

그 사람은 이렇게 대답했지만, 나중에 알고 보니 이것은 속임수였다.

나는 미심쩍어 그 마을 이름을 물었다.

"서리당이오."

"비가 쏟아져서 길은 진창이 되고, 또 날은 저물어 가는데 지금 당장 어떻게 떠난단 말이오. 내일 아침에 떠나면 안 되겠소?"

내가 간청했지만 그는 단호하게 말했다.

"멀지 않으니 걱정할 것 없소."

우리는 하는 수 없이 길을 떠날 수밖에 없었다.

그런데 마을 사람들이 몽둥이와 칼, 징과 북을 가지고 우리를 따랐다. 얼핏 보면 우리를 보호해 주는 것 같았지만 어쩐지 좀 이상했다.

"둥둥! 둥둥……."

북과 징 소리가 사방으로 울려 퍼지자, 그 소리를 듣고 사람들이 놀라 밖으로 뛰쳐나왔다. 그리고 많은 사람들이 구름처럼 모여들어서, 떠들어 대고 이리저리 날뛰면서 우리 일행을 몰아세워 끌고 갔다.

사방이 차츰 어두워지자 사람들은 횃불을 밝혀 들고 우리 일행의 앞뒤에 서서 따라왔다. 그리고 가는 곳마다 이 마을 저 마을에서 사람들이 뛰쳐나와 합세하여 우리를 에워쌌다. 우리는 이렇게 쫓기는 신세로 50여 리를 걸어야 했다.

18일

천호 허청을 길에서 만나다.

비가 억수같이 쏟아지고 시간은 이미 자정을 넘었는데, 우리 일행은 마을 사람들에게 몰려서 계속 밤길을 걸어야 했다. 높은 언덕을 지나서 소나무, 대나무 숲을 이룬 곳에 이르러서는 숨은 선비라고 자칭하는 왕을원이라는 사람을 만났다.

그는 우리 일행이 밤새껏 비를 맞으며 고생하며 쫓겨 가는 것을 불쌍히 여겨 사람들을 멈추게 하고, 우리에게 글을 써서 말을 걸어 왔다.

"당신네들은 어느 나라 사람이며, 어떻게 하다가 이 모양이 되었소?"

나는 풍랑에 표류된 이야기며, 마을로 찾아온 연유를 대강 글을 써서 전하였다.

그는 가엾게 여기면서 곧 술을 가져와 내게 권하였다.

"시장하실 텐데 어서 드시지요."

"우리 조선 사람은 부모의 상을 당하면 3년 동안 술과 고기를 먹지 않습니다."

내가 술을 사양하자 그는 고개를 끄덕이고는 차를 대접하였다.

"당신네 나라에도 불교가 있소?"

왕을원이 물었다.

"우리 나라는 불교는 숭상하지 않고 오직 유학만 숭상합니다. 그래서 집집마다 충효 정신을 받들고 있습니다."

왕을원과 나는 이런저런 얘기를 나누었다. 그러나 사람들이 어서 떠날 것을 재촉했다.

그러자 왕을원은 내 손을 잡고 작별을 아쉬워하였다.

그런데 왕을원으로부터 멀어지기가 무섭게 사람들이 또다시 몰려왔다. 우리는 다시 그들의 몽둥이에 쫓기고 넘어지고 자빠지면서 두 고개를 지나서 또 다른 마을로 인계되었는데, 이 때는 벌써 날이 새기 시작하였다.

우리가 육지에 올라온 이래, 길가에서 만나는 사람마다 우리를 가리키며, 팔을 들어 목을 베는 시늉을 해 보이는데, 도대체 무슨 뜻인지 알 수가 없었다.

포봉리라는 마을에 도착하니 비가 조금 그쳤다. 관리 한 사람이 군졸 몇을 데리고 우리 일행에게 다가와 물었다.

"당신들은 어느 나라 사람이며, 어찌하여 여기에 왔소?

"나는 조선 사람으로 문과에 두 번 급제한 후, 국왕의 근신이 되었소. 국사를 받들어 제주 섬을 순시하다가 부친상을 당하여 돌아가던 길이었는데, 풍랑을 만나 표류하다가 여기까지 오게 되었소. 배고프고 지쳐 근근이 목숨을 잇고 있는데, 또 마을 사람들에게 쫓겨 고생이 이만저만이 아니던 차에 관인을 만났으니 살 때를 만난 것 같소."

내가 대답하자, 그는 내게 먼저 죽과 밥을 주고는 나머지 일행에게도 밥을 지어 먹을 수 있게 하였다.

내가 그 관리의 이름을 물으니 옆에 있던 왕괄이란 사람이 대신 대답하였다.

"저 분은 해문위의 천호 허청이라는 사람인데, 당두채를 지키던 중 왜적이 침범해 왔다는 소식을 듣고 잡으러 왔소. 당신들은 앞으로 각별히 몸조심 하시오."

나는 피로에 지쳐 길 옆에 누웠는데, 온 몸이 무겁고 아파서 조금도 움직일 수가 없었다.

허청이 내게 와서 말했다.

"우리 대당의 법도는 엄하여 당신들 같은 외국 사람을 이 곳에 오래 머물게 하여 양민들을 불안하게 할 수 없소."

그는 군인들을 시켜 급하게 우리를 몰아 갔다. 그 곳에서 한 5리쯤 가니 당두채라는 관청 앞에 이르렀다. 거기서 또 10리쯤 가서 긴 제방에 이르렀을 무렵, 비가 또다시 쏟아졌다. 나는 이리저리 비틀거리고 절뚝거리며 걸음을 옮기다가 더 이상 발을 떼어놓지 못하고 길바닥에 쓰러져 버렸다.

"나는 이제 근력이 다 되어 죽는구나. 이렇게 죽을 줄 알았더라면 차라리 바다에서 죽는 편이 나았을 것을……."

내가 한탄하자 정보 이하 모두가 울음을 터뜨렸다.

그러나 군인의 독촉이 어찌나 심한지 잠시도 지체할 수 없어 이정, 이효지, 허상리, 현산 등 몸이 건장한 젊은이들이 나를 번갈아 업고 갔다.

두 고개를 넘어 30여 리쯤에 있는 마을에 도착하였는데, 아주 번화하였다. 마을 앞에 절이 있었는데, 날은 저물고 비는 여전히 오고 하여 나는 허청에게 절에서 하룻밤 쉬어 갈 것을 요청하였다. 그러나 그 곳에 사는 사람들이 모두 안 된다고 하였다.

"마을 사람들이 당신들을 도적이 아닌가 의심하여 머무는 것을 허락하지 않으니, 힘이 들더라도 길을 떠나지 않을 수 없소."

허청이 계속 갈 것을 요구하였다.

큰 고개를 또 넘으니 자정을 지나 새벽이 되려 하였다. 큰 냇가에 이르자 이정 등도 기진맥진하여 더 이상 나를 업을 수 없게 되었고, 다른 사람들도 이제 더 이상 갈 수 없게 지쳐 있었다. 허청이 내 손을 잡아 일으켰으나 두 발이 퉁퉁 부어서 한 발짝도 떼어 놓을 수가 없었다.

우리가 지쳐 드러누워 버리자 한 관인이 병졸들을 거느리고 나타났다. 그는 횃불을 들고 갑옷, 투구, 창검, 방패 등을 갖추어 우리를 이중으로 둘러쌌다. 그리고는 칼과 창을 이용하여 치고 찌르고 하는 모습을 보여 주어 우리를 놀라게 하였다. 우리는 혼비백산하여 다시 일어나지 않을 수 없었다.

전진을 강행하여 3, 4리쯤 가니 성곽으로 둘러싸인 큰 집이 멀리 보였다. 물어본즉 도저소라 하였다. 우리 일행은 성 안에 있는 안성사라는 절에서 묵도록 허락받았다.

나는 그 절 스님에게 우리를 위협했던 그 관인이 누구냐고 물었다.

"도저소 천호인데, 왜인이 국경을 침범하였다는 보고를 받고 고문하는 기구를 가지고 와서 여기에 비치하고 있는 중이오. 당신의 진위를 알아보기 위해 내일 도저소에서 신문이 있을 것이오."

나는 그 얘기를 듣고서야 우리가 왜적으로 오인받았다는 사실을 알게 되었다. 또한 그 동안 마을마다 사람들이 쏟아져 나와서 북과 징을 울리며 우리를 몰아세웠던 까닭을 알 것 같았다.

19일

도저소에 도착하다.

아침이 되기가 무섭게 두 천호가 말을 타고 비를 맞아 가며 우리를 끌고 갔다.

나는 정보를 시켜 허청에게 전하였다.

"우리가 표류하여 기갈로 죽을 뻔하다가 겨우 목숨을 건져서 귀국에 도착하였소. 사람들로부터 쫓기다가 요행히 관인을 만나 어제 아침에 밥을 얻어먹고 이젠 다시 살겠다 싶었더니, 억수 같은 비를 맞으며 넘어지고 자빠지며 길을 걸어 기진맥진하고 말았소. 어제 저녁과 오늘 아침도 굶었는데, 이렇게 비가 쏟아지는데도 우리를 몰아 대니 이제는 길에서 죽고야 말 것이오."

"이제 곧 관청에 도착하면 먹게 될 것이니 어서 가기나 하시오."

허청은 딱 잘라 거절하고 길을 서둘렀다.

나는 도저히 걸을 수가 없어서 길가에 쓰러져 버렸다. 효자, 정보, 막금 등이 울음을 터뜨렸다.

마침 소를 끌고 지나가는 사람이 있으므로 정보가 허청에게 사정하였다.

"옷을 벗어 값을 치를 테니 저 소를 타게 해 주시오."

하지만 허청은 이번에도 거절하였다.

"우리도 어찌 당신들이 고생하는 것을 보고 측은하지 않겠소? 그러나 국법에 의하여 끌려가는 것이니 우리도 어쩔 수 없소."

하는 수 없이 이정, 이효지, 허상리 등이 또 교대로 나를 업어 드디어 도저소에 도착하였다.

그들은 우리를 끌고 한 공관으로 가서 쉬게 하였다.

그 때의 내 모습은 뼈만 남게 여윈데다가 진흙투성이고 보니 사람이 기절할 지경이었다.

왕벽이란 사람이 글을 써서 나에게 물었다.

"어제 상부에 왜선 14척이 와서 약탈했다고 보고되었는데, 너희가 왜 적이냐?"

"우리는 왜적이 아니라 조선국의 문사요."

내가 대답하자, 이번에는 노부용이라는 사람이 물었다.

"서로 사용하는 글자는 같은데 말은 우리 중국과 다르니 어찌 된 일이 냐?"

"천 리만 가도 바람이 다르고, 백 리만 가도 풍습이 다르오. 당신이 내 말씨를 이상스럽게 여기듯이 나 또한 당신의 말씨가 이상스럽소. 습속이란 다 그런 것이오. 그러나 천성은 모두 같은 것인즉, 내 천성 이 곧 요순의 천성이요, 공자, 안자의 성품이니 어찌 언어의 다름을 가지고 문제 삼을 수 있겠소?"

그가 손바닥을 치면서 말했다.

"당신이 분상중이었다 하니 묻겠는데, 주문공의 가례를 아는가?"

나는 이에 대해,

"우리 나라 사람은 모두 상례에 가례를 따르고 있소. 나도 당연히 그 럴 것인데, 풍랑으로 표류하여 지금까지 영전에 가서 곡도 못 하고 있 으니 가슴이 에이는 듯하오."

하고 말하자, 그가 나에게 다시 물었다.

"당신은 시를 지을 줄 아는가?"

"시라는 것은 경박한 자들이 풍월을 노래하는 것이지, 도를 배우는 군자의 할 일은 아니오. 나는 격물, 치지, 성의, 정심을 배우는 터이므로 시를 배우는 데 힘쓰지 않았으나, 간혹 남이 선창하면 응답은 하오."

그 때 어떤 사람이 내 손바닥에 글을 써서 살짝 귀띔을 해 주었다.

"당신을 보아하니 나쁜 사람은 아닌 것 같소. 다만 언어가 통하지 않아 벙어리나 다름없으니 참으로 안타까울 뿐이오. 이제부터 내가 이르는 말을 잘 기억했다가 행동하는 데 신중을 기하시오."

나는 무슨 말인지 무척 궁금하였다.

"예로부터 이 변경에 왜적이 자주 침범해 들어왔소. 그래서 국가에서 단단히 경비하고 있는 중이오. 만약 왜적을 잡는다면 먼저 목을 베고 난 뒤에 알리게 되어 있소. 당신네들이 배를 댄 곳은 사자채의 관할 지인데, 채를 지키는 관원이 당신네들이 왜적이라고 거짓 보고를 했소. 목을 베어 바쳐서 상금을 타 먹으려 했던 것이오. 그들이 보고하기를, 왜선 14척이 변경을 침범하여 마을 아녀자들을 겁탈한다고 거짓을 고하고서 군사를 이끌고 가서 당신들의 목을 베려 했던 것이오. 그런데 당신들이 배를 버리고 도망을 쳤기 때문에 당신들은 살 수가 있었소. 내일 파총관이 당신들을 신문할 것이니 자세히 변명을 하시오. 조금만 잘못되어도 큰 일이 생길 것이오."

하며 걱정스러운 표정을 지었다. 그 말을 들은 나는 등골이 오싹해지고 머리털이 곤두섰다.

내가 그의 이름을 물으니,

"내가 이런 말을 하는 것은 당신들을 가엾게 여겨서요."

하고는 돌아서서 가 버렸다.

옆에 있던 정보 등도,

"길가의 사람들이 우리를 가리키면서 목을 베는 시늉을 한 것이 그런 모략 때문이었군요."

하며 치를 떨었다.

저녁때가 되어 우리는 천호 등 관원 7, 8명이 앉아 있는 큰 탁자 앞으로 끌려나갔다.

그들은 먼저 정보를 불러 물었다.

"너희들 배가 14척이라는 것이 사실이냐?"

"아니오, 한 척뿐이오."

정보가 대답하였다.

다음에는 나를 불렀다.

"너희들이 타고 온 배가 모두 몇 척이냐?"

"한 척이오."

"왜선 14척이 바닷가에 정박한 것을 내가 보았고, 또 채를 지키는 관리의 보고도 그래서 상부에도 그렇게 보고했다. 너희 배 13척은 어디다 숨겼느냐?"

"우리가 귀국 땅에 닿았을 때 귀국 사람들이 타고 있던 배 6척과 함께 있었으니, 그 배의 선원들에게 물어보면 우리 배의 수효를 알 수 있을 것 아니오?"

"너희들은 왜적으로서 이 곳에 약탈하러 온 것이 아니냐?"

"우리는 조선 사람이오. 왜국과는 말도 다르고 옷도 다르니 구별이 되지 않소?"

"왜적은 약탈하는 데 귀신 같아서 혹 변복하여 조선 사람인 양하기도 하니 우리가 어떻게 너희가 왜적이 아닌 줄 알겠는가?"

"우리의 행동거지나 인신, 마패, 관대, 문서 등을 보면 사실인가 아닌가를 알 수 있을 게 아니오?"

"너희들이 조선 사람을 죽이고 이런 물건들을 약탈한 것이 아니냐?"

"만약 조금이라도 의심이 든다면 우리를 북경으로 보내서 조선 통사와 말을 시켜 보면 금방 알게 될 것이오."

"그러면 지금부터 너의 이름이 무엇이고, 어느 고을 사람인가? 그리고 무슨 벼슬을 했으며, 어디에 가서 무엇을 하다 우리 땅에 이르렀는지를 사실대로 써라. 만약 거짓을 쓰거나 허황되게 쓰면 용서치 않을 것이다."

나는 그 동안 몇 번이나 되풀이했던 얘기를 또다시 썼다.

"성은 최요, 이름은 부. 태어난 곳은 조선국 전라도 나주 성중이오. 두 번 문과에 합격하여 조정에 벼슬을 한 지 여러 해인데, 작년 9월에 국왕의 명을 받들고 제주도에 갔다가 금년 윤정월 3일 부친상을 당해 고향으로 돌아가던 중 폭풍을 만나 바다에 표류하여 이 곳에 이르렀소."

이럭저럭 심문이 끝난 후 별관에 들었는데, 나의 잠자리를 일행들과는 달리 해 주었다.

20일

하루종일 도저소에 머무르다.

날씨가 흐렸다 개었다 하였다.

도저소 천호의 이름을 물으니 진화라 하였다. 진화가 한 관원과 함께 와서 내 앞에 앉았다.

그는 내가 쓰고 있는 방갓을 보고는 물었다.

"그게 무슨 모자냐?"

"이것은 상립이라 하오. 우리 나라 풍속은 부모가 돌아가시면 누구나 무덤 앞에 초막을 짓고 3년상을 지내는데, 나처럼 불행히도 표류하게 되거가 혹은 멀리 있는 자는 감히 하늘을 쳐다보지 못하고 이런 갓을 쓴다오."

그러고 있는데 또 한 관원이 오더니 내게 이것저것 묻는다.

"당신네 나라 임금도 황제라고 칭하는가?"

"하늘에 두 해가 있지 아니한데, 어찌 같은 하늘 아래 두 황제가 있겠소? 우리는 정성껏 대국(중국)을 섬길 뿐이오."

조금 있다 다른 관원이 와서,

"영파부에 하산이란 곳이 있는가?"

하고 물었다.

나는 있다고 대답하고, 전날 하산에 정박했다가 도적을 만나서 다시 표류하게 된 사연을 말했다. 그는,

"내가 마땅히 이 문서로 지부에 알려서 사실을 탐문하게 하겠다."

고 말했다.

그의 이름을 물으니 왕해라고 했다.

조금 있다 또 바깥 사람들이 떼지어 몰려와서 다투어 글을 써서 내게 물어 오는데, 일일이 대답을 할 수가 없었다.

그러자 관원 한 사람이 가만히 내게 이르기를,

"이 곳 사람들은 경박하니 대단치 않은 것은 답하지 마시오."

하였다.

21일

도저소에 계속 머무르다.

날씨는 맑았다.

어제와 마찬가지로 문밖에 많은 사람들이 몰려와 나를 살피고 있었

다. 왕해는 나를 보고 벽에 걸려 있는 한 사진을 가리키며 물었다.

"이 사진을 아는가?"

"모르오."

"이 사진은 당나라 때의 진사 종규요."

"종규는 평생토록 진사를 못한 걸로 알고 있는데, 어째서 진사라고 하시오?"

내가 반문하자, 그들은 크게 떠들며 웃어 댔다.

내가 사람들과 글로써 말을 주고받고 있는데, 비왜 지휘 파총관인 유택이 들어왔다.

그가 나에게 말했다.

"당신과 같이 남몰래 변경을 침범한 사람들은 원래 군법으로써 처형해야 마땅하나, 그 사정에 불쌍하고 가엾은 점이 있어 잠시 처형을 미루고 있다. 그 침범 유무와 정황을 글로 써서 보고하라."

그래서 나는 또다시 그 동안의 정황을 자세하게 진술해야만 했다.

유택은 또한 내가 언제 과거에 합격했으며, 몇 가지 벼슬을 지냈는지를 일일이 캐물었다.

그리고 우리 일행의 신상에 대해서도 자세히 묻고는, 우리가 지니고 있는 물건에 대해서도 캐물었다. 더 나아가 우리 나라의 지리와 풍습, 역사에 이르기까지 꼬치꼬치 물었다.

내가 대답을 다 하자, 그는 마지막으로,

"당신네 나라도 우리 조정에 조공을 하는가?"

하고 물었다.

"우리 나라에서는 매년 성절과 정초가 되면 대국에 성의껏 조공을 하고 있소."

"당신네 나라에서는 어느 나라 법률을 쓰며, 따로 연호가 있는가?"

"연호나 법도는 모두 명나라에 준하고 있소."

그제서야 유택이 신문을 그치고 웃으며 말했다.

"당신네 나라가 여러 해 조공하여 군신의 의리가 있고, 또 침략할 뜻이 없었으니 이제부터 예절로 대할 것이니 안심하시오. 당신들을 북경으로 보내서 본국으로 돌아가게 할 것이니, 행장을 꾸려 떠날 채비를 하시오."

말을 마친 유택이 차와 과일을 내어 대접해 주었다.

22일

계속 도저소에서 머무르다.

날씨는 흐렸다.

파총관 유택이 나를 부르더니 어제 진술한 것 중에서 하산에서 해적떼를 만난 일과 마을 사람들에게 매맞고 몰리던 일, 그리고 문장이 번거로운 부분을 삭제하고 다시 쓰라고 하였다.

그리고 그 옆에 있던 설민이라는 사람이 한 마디 거들었다.

"이 글은 황제에게 올릴 것이므로 간단해야 하겠기 때문에 그러는 것이니 의심 말고 쓰시오."

그래서 내가,

"진술서라는 것이 사실대로 쓰면 되는 것이지, 문장이 번다한 것이 무엇이 나쁘단 말이오? 더구나 도적 만난 일을 삭제하라니 사실을 왜 곡시키는 것이 아니오?"

하고 항변했더니, 설민이 가만히 글을 써서 내게 보였다.

"지금 황제가 새로 즉위하여 법령이 엄격한데, 만약 당신의 진술서를 보고 도적이 극성한다고 거짓 보고한 국경 정병을 문책하면 곤란한 일이 벌어지오. 당신은 무사히 돌아가기만 하면 그만 아니오?"

그의 말도 일리가 있는 듯싶어 시키는 대로 했더니, 설민이 몇 가지를 더 물어 왔다.

"당신은 바다 위에서 며칠이나 굶었소?"

"초3일부터 11일까지 9일 동안을 굶었소."

"그런데 어찌 굶어 죽지를 않았소?"

"가끔 마른 쌀을 씹어 삼키고, 오줌을 마셨는가 하면 비올 때 옷을 적셔 짜서 마시기도 했소."

"나이는 몇 살이오?"

"서른다섯이오."

"집을 떠난 지는 얼마나 되었소?"

"여섯 달 되었소."

"집 생각 나지 않소?"

"아버님은 돌아가시고 어머님만 남아 계시는데, 나마저 바다에 빠져 죽은 줄 아시고 상심이 이만저만이 아니실 거요. 어머님 일만 생각하면 가슴이 찢어질 것 같소."

"당신네 나라 임금의 이름은 무엇이오?"

"신하가 되어 어찌 임금의 휘를 경솔하게 말할 수 있겠소?"

"여기는 멀리 떠나 나라 밖이니 상관없지 않소?"

"나는 조선의 신하요. 신하된 자가 나라 밖에 나섰다 하여 행동을 함부로 하면 옳지 않는 일이오."

설민이 나와 문답한 것을 파총관에게 보이자, 파총관이 읽으며 고개를 끄덕이었다.

"내일 출발하도록 할 터이니 짐을 꾸리시오. 또 전일 우리 땅에서 잃어버린 물건이나 빼앗긴 물건을 잘 기록해 두시오. 될 수 있는 대로 보상해 주겠소."

나는 그 자리를 물러나와 일행에게로 돌아왔다.

그런데 숙소에는 왕광이라는 자가 기다리고 있었다. 왕광은 허청의 앞잡이로서 우리를 위협하기도 하고 어르기도 하면서 자꾸 무엇을 내놓으라고 하였다.

"우리 대인의 은혜를 갚아야 하오."

하면서 계속 귀찮게 굴었다.

줄 것이 아무것도 없던 나는 결국 입고 있던 솜옷을 벗어서 허청의 아들 융에게 주었다.

23일

드디어 도저소를 출발하였다.

날씨는 흐렸다.

파총관이 나를 부르더니 일행을 호명하고 인원수를 점검토록 하였다. 그리고 나서 적용이라는 사람에게 군사 20여 명을 데리고 우리 일행을 호송하도록 하였다.

24일

건도소에 도착하다.

날씨는 맑았다.

새벽에 천암리를 지나 아침 나절에 전령이라는 고개를 지나게 되었다. 나는 내리막길이어서 가마에서 내려 절뚝거리며 걸었다. 한 절 앞을 지나게 되었는데, 그 절의 스님이 나를 불쌍하게 여겨 차를 다려 대접하며 쉬어 가라고 하였다.

우리 일행은 그 절에서 잠시 쉬고 다시 출발하였다.

이윽고 바닷가에 다다랐는데, 병선들이 무장을 갖추고 해전 연습을 하고 있었다. 여기서 작은 배로 건너 가니 해안에 성이 있는데, 그 곳이 건도소였다. 건도소의 천호 이앙이 무장한 군사들을 거느리고 우리를 인도하여 성 안으로 들어갔다.

성 안은 집이나 사람들의 옷차림이 도저소에 비해 훨씬 번화하였다. 이앙이 우리를 한 여관으로 안내하여 그 곳에서 묵게 하였다.

그 곳에 사는 한 노인이 우리를 찾아와 표류하게 된 곡절을 묻기에 내가 얘기해 주었다.

그 노인과 이런저런 얘기를 나누던 끝에 노인이 나를 자기 집으로 초대하였다. 따라가 보니 집 앞에 용을 조각한 돌기둥 문이 세워져 있는데, 황금빛으로 색칠을 하였고, 그 위에 '병오과 장보지가' 라는 글씨가 또렷하게 씌어져 있었다. 이것은 그 사람이 과거에 급제하였다는 표시였다.

나도 거짓으로 자랑하였다.

"나도 과거에 두 번이나 급제하여 봉급으로 쌀 2백 석씩 받고, 3층으로 정문을 지었으니 그대는 나만 못하오."

"그것을 어떻게 믿을 수 있소?"

"나의 정문은 멀어서 보여 줄 수 없지만, 내가 문과 중시에 급제한 소록은 여기 있소."

하면서 펴 보였더니, 그는 거기서 내 이름을 확인하고는 꿇어 엎드리면서,

"당신에게는 미치지 못하겠소."

하였다.

25일

월계 순검사에 도착하다.

날씨는 흐리고 바다에 안개가 끼었다.

이앙, 허청, 왕광, 장보 등이 바닷가까지 전송을 나왔다. 이앙은 내 손을 잡고는 못내 섭섭해하였다.

"당신과 한 번 만나고 만 리 길에 이별하니 다시는 못 만나겠구려."

26일

영해현을 지나다.

비가 왔다.

영해현의 백교역에 도착하자 현 지사인 당이라는 사람이 우리에게 음식을 주어 배부르게 먹었다. 잠시 후 비를 무릅쓰고 다시 출발하여 서점역에 도착하였다.

27일

서점역에서 머물다.

큰 바람이 불고 비가 많이 내려 어쩔 수 없이 서점역에서 머무르게 되었다.

28일

연산역에 도착하다.

큰 비가 왔다.

적용이 나에게 말했다.

"우리 대당의 법이 엄격하여 조금이라도 지체하면 벌을 받게 되므로, 비가 오더라도 더 이상 이 곳에 머무를 수가 없소."

"오늘은 큰 비가 오는데다가 냇물이 넘쳐나서 갈 수가 없소."

사람들 모두 떠나기를 꺼려하였다.

"냇물은 불어났다가도 곧 줄어들 것이오. 이 역의 보급품은 한정이
있어서 어제도 묵어서는 안 될 것을 묵은 것이오."
하며 떠나기를 재촉하니, 하는 수 없이 비를 맞으며 출발하였다.

얼마쯤 가서 쌍계 장터 부근에 도착하였는데 부근의 커다란 시내 두
개가 범람하여 모두들 옷을 입은 채로 건넜다. 모두들 옷이 젖어서 추
위에 덜덜 떨었다.

여기서 상전포를 지나 봉화현의 연산역에 도착하였다.

29일

영파부를 통과하다.

영파부는 강물을 막아서 성을 쌓았는데, 성문이 모두 이중으로 되어
있었고, 문은 또 2층으로 되어 있었다. 개천물이 빠지는 곳은 모두 홍예
문을 설치했는데, 겨우 배 한 척만 드나들 수 있게 되어 있었다.

우리 일행은 수문을 통해 성 안에 들어가 상서교에 이르렀고, 거기서
혜정교를 지나 사직단에 도착하였다. 성 안에서 통과한 다리만도 무려
10여 개나 되었고, 고궁은 강을 끼고 줄지어 있었는데, 그 중 절반 이상
이 붉은 돌기둥을 하고 있어, 그 기묘함과 아름다움이 말로 표현할 수
없을 정도였다.

배를 서서히 저어 북문으로 나아가니 북문도 남문과 같았다. 성의 넓
이는 잘 모르겠으나 부청과 영파위, 은현청, 사명역이 모두 성 안에 있
다고 하였다.

비가 많이 와서 강가에 배를 대고 머물렀다.

이하 최부의 〈표해록〉을 생략한다.

최부와 그 일행은 여행을 계속하여 행주·소주·양자강·양주·서

주 · 북경 등을 거쳐, 그 해 6월 14일에야 서울에 도착하여 성종을 알현하였다. 무려 6개월여 만에 고국에 돌아온 것이다.

최부는 성종의 명을 받아 그 동안 겪었던 일을 한문으로 지어 올렸는데, 이것이 〈표해록〉이다.

이 책의 뒤에 이어지는 내용은. 중국의 호송 관리들과의 만남과 북경에서 명나라 황제를 배알한 일, 중국 대륙을 종단하여 북쪽으로 올라오며 보고 듣고 느낀 갖가지 일들의 기록이다. 또 중국의 바닷길 · 기후 · 산천 · 도로 · 관부 · 고적 · 풍속 · 민요 등 폭넓은 영역에 걸쳐 자세히 소개하고 있다.

서포만필

김만중

지은이

1637~1692년. 자는 중숙, 호는 서포. 조선 후기의 문인, 문신이다.
1665년에 문과에 급제하여 대사헌, 대제학 등을 지냈다. 1687년 장 희빈
을 비난한 일로 유배되었다. 그 곳에서 어머니를 위로하기 위해 〈구운몽〉을
지었다. 당시 인현 왕후를 둘러싼 궁중의 일을 연상하게 하는 〈사씨남정기〉
를 지었으며, 저서로 《서포집》, 《서포만필》 등이 전한다.

서포만필

1

시인들이 옛날 사람들의 시에 대해 숭상하는 바가 각각 달라도 그들의 재질과 식견은 알 수 있다.

송나라의 엄창랑은 최호의 〈황학루〉를 당대 율시의 으뜸으로 여겼고, 명나라의 하대복은 심전기의 〈노가소부〉를 으뜸으로 여겼다. 이창명은 당나라 왕창령의 〈진시명월〉을 절구의 으뜸으로 여겼고, 양승엄은 당나라 유우석의 〈춘강일곡〉을 으뜸으로 여겼다. 또한 호원서는 왕한의 〈포도미주〉를 으뜸이라 하였다.

본조(이조 조선을 일컬음)의 권여장은 허혼의 〈노가일곡해행주〉를 가장 좋아했으며, 지봉 이수광은 당나라 율시 중에서 역대로 왕유나 두보와 가도의 시, 잠참의 〈대명궁〉, 맹호연의 〈악양루〉를 비난하고, 초당의 다음의 시를 으뜸이라 하였다.

숲 속에서 풀을 찾으니
혜초가 비로소 자라나고,
정원에서 꽃을 찾으니
모두가 매화일세.

고려 말의 문장가 이규보는 송나라의 매성유를 좋아하지 않았는데, 아마도 매성유가 깊고 맑으며 내성적이라서 자신의 포만하고 호탕한 성격과는 정반대였기 때문일 것이다. 또한 서응의 폭포시를 칭찬하면서도 동파가 잘못 평했던 것이라 여겼음도 아마 서응의 시가 단지 새 뜻만 취하고 아속에 구애받지 않아 자신과 비슷한 점이 많았기 때문일 것이다. 만약 동파 공이 문순의 시를 보았더라면 그것을 악시라고 여겼을 것임은 의심할 여지가 없다.

한편 유몽인이 구양수의 문장과 진간재의 시를 비방함은 이보다도 심한 것이었다.

2

소재 노수신은, 스스로 칠률은 호음 정사룡만 못하나, 오율은 그보다 낫다 하였는데, 이 말은 아주 공평하다. 근래에 동명 정두경이 동악 이안눌에 대해서 한 평가 또한 그렇다. 석주 권필은 두 사람의 장점을 겸하고 있으나 무게로 따진다면 약간 덜한 듯하다. 사화 남곤은 취헌 박은의 시를 본조의 으뜸이라 했고, 소설가 허균은 용재 이행을 제일로 여겼다.

근래에 와서 석주, 동악, 동명 세 사람이 뒤따라 일어나서 시문을 평하는 사람들이 각각 주관에 따라서 평가하지만, 석주를 높이 평가하는 사람이 많다.

3

요즘 본조의 뭇사람 시를 읽어 보다가 외람되게 이렇게 평하여 본다.

오언 절구는 마땅히 손곡 이달의 〈동화야연락〉을 으뜸으로 삼고, 칠언 절구는 동명 정두경의 〈장화고출백운간〉을 으뜸으로 삼고, 오언 율시는 세종의 〈세묘숭서축〉을 으뜸으로 삼는다. 칠언 율시는 걸작이 무척 많아 선택해 취하기가 더욱 어렵지만, 지천 황정욱의 〈청평산색표관동〉, 석주 권필의 〈강상오오문각성〉, 동악 이안눌의 〈최호제시황학루〉 등 몇 수 중에서 골라야 할 것이다.

근대 유명인 중에는 이택당과 권석주의 시만이 각 체가 다 좋다. 동명 정두경은 가행, 오언 율시 및 칠언 절구는 격이 높으나, 칠언 율시는 그 다음이고 선체는 대단치 않다.

양릉군 허적은 호가 수색인데, 오언시가 청초하고 고아하여 선당체를 터득했으니, 한때 붓을 잡은 사람들이 그와 겨룰 수가 없었다. 그를 석주와 동악에 비교하면 아마도 중국 명나라의 하경명과 이반룡에게 소문이라는 인물이 있었던 것과 같다. 그러나 지금에 이르러 명성이 그다지 높지 않은 것은 사람들이 전적으로 칠언 율시를 배우기 때문이다.

단지 허적과 같은 문중인 허균이 그를 높이 평가했지만, 허균의 시는 민첩하고 총명함은 있으나 집중력이 떨어지기 때문에, 당·송·원·명나라의 향기가 섞여 나와서 동악이나 석주의 시에서 보여지는 깊이 있는 맛과는 비교할 수가 없다. 그렇지만 허균의 감식력은 근대에 으뜸이었다. 택당은 그 자제들에게 매번 허균이 시를 잘 안다고 칭찬하였다.

허균의 〈사부고〉가 사대부 사이에 꽤 많이 읽히고 있거니와 거기에 실린 작품들은 체재와 격조는 그리 높지 않지만, 재치로는 보통 시를 뛰어넘는 것이 많다. 예를 들어 〈궁사절구〉, 〈죽서루부〉 등과 같은 시는 석주나 동악도 지을 수 없는 것이다. 만약 허균이 진·송 시대에 태어났다면 반역을 꾀했던 범울종이나 은중부와 같은 사람이었을 것이다.

4

우리 나라 시인으로 고대 중국의 시학에 뜻을 가진 사람은 허백 성현, 상촌 신흠, 동명 정두경 세 사람이다.

허백이 배운 것은 표면적인 것이어서 마치 감자를 먹었지만 아름다운 경지에는 미치지 못한 것과 같다. 그러나 그 당시로 보면 지극히 깊은 경지에 이르렀다고 할 수 있다. 상촌은 명나라 가릉 시대의 여러 시인에게 걸음마를 배워, 표현하고자 하는 바는 광대하고 섬세하나, 다만 원래의 소질과 목소리가 합치되지 않았다. 동명은 밖으로 나타나는 기운이 사납게 달려가는 기상을 나타내어 뛰어났지만, 간절하고 측은하며 연유 있는 뜻이 어그러졌으므로, 그 하나만 얻고 둘은 얻지 못해 가행에는 적합하나 오언에는 부적합하였다. 그러나 동명은 우리 나라 고조 시인으로서 유일한 사람이다.

5

선가에는 본지풍광, 본래면목이라는 말이 있는데, 이 비유는 매우 잘 어울리는 것이다. 예를 들어 금강산을 사랑하는 어떤 사람이 있어, 그림책을 널리 수집하고 정밀하게 고증을 가하여 손금을 보듯이 내외 금강산의 산봉우리, 산골짜기를 자세하고 재미있게 말하면 들을 만하다. 그러나 그가 일찍이 동대문 밖으로 한 발자국도 나간 적이 없었다면 그가 본 것은 책 속의 경치요 그림 속의 모습이어서, 금강산을 보지 못한 사람과 담론할 수 있을 뿐, 만약 금강산에 있는 정양사의 주지승을 대한다면 즉각 패할 것이다.

어떤 사람이 동해안 길가에서 금강산의 한 봉우리를 보았다면, 비록 전체를 보지는 못했다 하더라도, 그가 본 것이 실물의 산이 아니라고는 할 수 없다. 화담 서경덕의 학문의 조예가 이것에 비유될 수 있다.

어떤 사람은 그림책 위에서 본 것과 같지만, 그 사람이 평소에 타고 난 통찰력이 있어, 단청의 멋과 문자의 맥락을 식별할 수 있어서 묵은 자취에 구애되지 않고 대중에게 현혹되지 않아 이따금 산중의 경물을 마치 눈에 보듯이 그려낼 수 있다면, 이는 비록 단발령 꼭대기에서 본 것은 아닐지라도 세상에 참으로 금강산을 본 사람이 없다면 그를 추천하여 잘 아는 사람이라고 할 만하다. 장계곡의 학문이 이러한 부류의 것이다.

우리 나라가 어둡고 막혀 있는데도 불구하고 이 두 사람을 얻은 것은 매우 어려운 일이다. 이러한 경지에 도달하면 욕기농환(도를 터득하여 도가 몸에 배어 있음)하는 인물이 될 것이다. 백주 이명한이 계곡을 슬프게 읊은 시가 있는데, 그 내용은 아래와 같다.

이 세상에서 누가 그대의 학문과 겨룰 수 있었던가?
시대를 가늠했을 때는 가장 잘 알았다네.
짧은 말 한 마디에도 사물의 법칙을 남겨,
만 가지 이치가 신통의 경지에 들었네.

6

허균의 누이 허난설헌의 시는 손곡 이달과 그 둘째 형 하곡 허봉으로부터 나왔다. 그녀의 솜씨는 옥봉 백광훈 등에게는 미치지 못하나, 통찰력이 뛰어나 우리 나라 규수 시인은 오직 이 한 사람뿐이다. 다만 안타까운 것은 그의 동생 허균이 원·명 시인의 아름다운 시구나 시편 중에 사람들이 잘 보지 않는 것을 대단히 많이 모아서 허난설헌의 시집에다 집어넣어 허난설헌의 작품이라고 떠벌린 점이다. 이런 짓은 우리 나라 사람을 속이는 것은 가능하지만 이것이 다시 중국으로 들어갔으니, 틀림없는 도적이 남의 마소를 도적질해다가 도로 그 마을에 판 것과 같아서 지극히 어리석은 짓을 했다 하겠다.

아울러 불행하게도 목재 전겸익을 만나서, 한눈에 도공이 무창의 관유를 식별한 것과 같이 속인 것을 밝혀 내고, 장물을 추적하여 진실이 드러나서 사람들로 하여금 크게 부끄럽게 하였으니 애석하다.

진나라 여류 시인인 유서나 한나라 성제의 후궁이 지은 〈환선〉처럼 이름이 천고에 뛰어난 사람은 본래 많지 않으니, 허난설헌의 재주이면 저절로 한 시대의 뛰어난 여인이라 하기에 충분한데도, 이 때문에 스스로 허물을 자초해 시편마다 의심을 받고 시구마다 잘못을 지적당했으니 탄식할 만하다.

허난설헌은 또 경번당이라는 호를 가졌는데, 아마 번 부인 부부 모두 신선이 된 것을 사모했기 때문으로 여겨진다.

7

기녀 황진이의 시 가운데 〈속청구풍아〉에 실려 있는 것은 매우 졸작이지만, 부녀의 시이기에 사람들 사이에 널리 읽혀진다.

우리 나라의 승려 시도 좋을 것이 없다. 일찍이 《휴정집》을 보니 그 제자들과 설법한 문장이 대부분 송나라의 대혜 선사의 묵은 이야기를 여기저기에 덮어 발라서 사람의 눈을 가린 것이니, 이른바 본을 따라서 바가지를 그린 것이다.

이로써 우리 나라의 산과 바다의 기운이 원래 운수가 많지 않아서 비록 세속 밖의 인물이라도 이 같은 정도에 불과함을 알겠다. 스님들이 쓴 저서인 《고봉선요》와 《대혜서장》 역시 이와 같다. 그 중에는 〈심경부주〉와 〈주서절요〉도 있다.

황진이는 박연폭포와 화담 선생, 그리고 자기를 송도 삼절이라고 했으니, 그녀는 이처럼 자부심이 있었다. 그 후 송도 출신으로, 동고 최립의 문장과 오산 차천로의 시와 석봉 한호의 글씨가 뛰어나서 삼절이라 하였으니, 어찌 송도에만 유독 뛰어남이 많았을까?

최립 · 차천로 · 한석봉의 세 사람이 죽으니, 7,80년 사이에 인물이 사라지고 문풍이 없어져서 송도 사람으로 과거에 이름이 나붙는 사람도 드물었다. 송도 주변에 대흥산성을 쌓은 후부터 산이 벗겨지고 샘물이 말랐으며 용이 사라졌다. 또한 물이 합류해도 폭포는 물줄기가 약하여 곧바로 쏟아지지 않았다. 땅의 기운과 인물의 관계가 이처럼 밀접하니 참으로 알고 한 말이다.

황진이와 같은 이도 옛날 사맹이 이른 바와 같이 '산천의 정기가 부녀자에게 쏠린 자'의 하나의 예일까?

8

예로부터 시를 평하는 사람이라고 해서 반드시 시를 잘 짓는 것은 아니었다. 또한 시를 잘 짓는 사람이라고 해서 반드시 시를 잘 평하지는 못했다.

송나라의 엄창랑은 시를 평하고 13편의 시를 지었지만, 그가 지은 절구는 겨우 만당의 풍미를 지녔을 뿐이며, 송나라의 유수계 역시 그의 시가 후세에 전한다는 말은 듣지 못했다.

지봉 이수광은 문단의 중망을 자부했으나 그의 《지봉유설》 20권에는 시를 논한 것이 반이나 돼도 그 말이 별로 사람의 마음을 새롭게 한 것은 없다. 서애 유성룡은 경국제세의 문장으로, 일찍이 잔재주에 관심이 있었지만, 그가 이백의 〈동정호〉와 당나라 유우석의 〈대제시〉를 논한 견식의 탁월함은 《지봉유설》에서는 찾을 수 없는 것이다. 〈동정호〉는 사람들이 다들 좋아하는 바나 〈대제시〉 같은 것은 사실 유 공의 독창적인 견해니, 역시 그의 재능과 지식이 출중함을 알 수 있다.

상촌 신흠의 〈시화〉에는 원나라의 살천석과 구종길의 섬세하고 아름다운 말씨를 많이 취했는데, 생각건대 상촌의 시는 이러한 방법을 통해서 발전했을 것이다.

9

신라의 진덕 여왕이 직접 수놓은 송덕시는 전편이 전아하여 전혀 이국의 기풍이 없다. 이 때에는 우리 나라의 문자가 아마 이와 같을 수 없었으니 이것은 중국인에게 금을 주고 얻은 것이 아닐까 하는 의심이 간다. 그렇지 않다면 당 태종의 후궁 서현비의 아류일 것이다. 당 태종이 모란도를 보내면서 벌과 나비를 그리지 않았는데, 이 또한 모둔의 만서(한 고조가 죽은 후 그의 아내 여후가 나라를 다스릴 때, 흉노왕 모둔이 둘 다 혼자이니 결혼하자는 모욕적인 편지)의 뜻이다.

《삼국사기》에는 진성 여왕의 음행이 기록되어 있으나, 진덕·선덕 여왕에 대해서는 별말이 없었으니 어찌 모두 팽려의 여자였을까? 그러나 선덕 여왕은 모란이 향기가 없음을 알았고 또 적병이 여근곡에 들어가면 죽는다는 계책을 세웠기 때문에 국인들이 그녀를 성왕이라 했다. 성왕은 정녕 성왕이지만 아마 참으로 향기가 없는 여인이 아닐까 두렵다.

10

　고려의 사간 정지상의 남포 절구는 해동의 위성삼첩인데 끝 구절인
‘별루년년첨작파’는 또한 첨록파라고도 하는데, 익재 이제현은 ‘록파’
를 따라야 한다고 했으나 사가 서거정은 ‘작파’가 낫다고 했다. 그런데
심휴문의 〈별부〉를 살펴보니,

　　봄 풀 푸르고
　　봄 물결 푸른데
　　남포에 님을 보내고
　　안타까운 심정 어이하리.

라고 하였다. 정지상의 시는 바로 이 심휴문의 말 ‘록파’를 인용한 것이
므로 고칠 수가 없다.

11

　어떤 사람이 시에 대해서 왕유를 숭상하고 두보를 좋아하지 않자, 명
나라의 감주 왕세정은 ‘그대가 만약 두보의 시를 깊이 읽으면, 그 속에
절로 왕유가 있다’고 말했다. 감주의 이 말이 바르지 않다고 감히 얘기
하고 싶다. 문장은 금석사죽(8가지 종류의 악기)과 같아서 그 소리는 서
로 겸할 수 없으며 각각 이르는 바가 있으니 이를 만약 겸하려고 한다
면 반드시 소리가 이루어지지 않을 것이다. 천석의 종이나 만석의 거(취
악기의 일종) 소리가 천지에 가득 차면 모든 음악은 사라진다. 두보는 시

에 있어서 이러하다.

그러나 사빈과 역양(좋은 악기의 재료)의 맑고 멀며 그윽하고 오묘한 소리는 왕유의 장점으로 돌리지 않을 수 없으니 왕유의 시구에,

발길이 물 다한 곳에 이르러
앉아서 구름 피어나는 것 바라본다.

가 있고, 또

아득한 논에 백로는 날고,
울창한 나무에 꾀꼬리 운다.

라는 구절이 있는데, 두보 시집에 일찍이 이런 말이 있었던가?

12

동고 최립의 시는 때로 노수신이나 황정욱보다 앞서 나왔다. 허균은 실제로 그 아버지보다 낫다고 하였다. 이를 상촌 신흠이 칭찬한 바,

검능산 북두성에 치솟았으니
누가 그 기운 보며,
옷소매 아직 중국에 닿지 않았어도
이미 향기에 젖어 있네.
종남산과 위수는 항상 보는 듯,
무덕 개원 시대에 두 번이나 올랐다네.

라는 시구는 가히 기묘하다.

13

판서 남운경이 말했다.

"두보가 이백에게 대한 것과 왕세정이 이반룡에 대한 것과 이행이 유백증에 대한 것과 이안눌이 권필에 대한 것은, 만년에 와서 그들의 성취가 세상에서는 뛰어나다고 인정하지만, 그들 스스로 인정하고 말하는 것을 살펴보면 항상 앞사람을 따를 수 없는 것과 같다. 이것은 마치 과거에 급제한 사람이 그가 어렸을 적의 접장에게 평생 경외하며 감히 함부로 대하지 못하는 것과 같다."

이 말은 진실에 가깝다. 세속에서 과거를 보려는 선비들이 모여 지내면서 공부할 때 그들을 동접이라 하는데, 이는 옛날 시사와 같은 것이다.

중양절에 산에 올라 이별가 지으렸더니,
이 뜻이 비록 은근하지만 벌써 슬픔 족했다네.
나는 바로 쉬려 하고 그대는 벼슬 떠나기 서두르니,
쓸쓸한 꽃과 떨어진 나뭇잎에 문답을 때라네.

이 시는 《택당집》에는 기록되어 있지 않다. 내가 일찍이 외당 이재상에게 이 시를 읊자, 다 듣기도 전에 급히 말하기를 '선인의 시가 틀림없다'고 하였다. 아마 이것이 비록 외떨어진 단장이지만, 깊이 있는 아름다움과 섬세하고 정교함을 갖추어 진실로 다른 사람이 지을 수 있는 것이 아니었기 때문이리라.

14

백사 이항복이 북청으로 유배가는 중에 철령을 지나면서 〈철령 숙운사〉를 지었다. 이 시는 다음과 같다.

고신원루(외로운 신하의 원통한 눈물)를
비 삼아 띄워다가,
임 계신 구중심처에
뿌려볼까 하노라.

하루는 광해군이 뒤뜰에서 잔치를 벌이고 놀 때, 궁녀 중에 이 가사로 노래 부르는 자가 있었다. 광해군이,
"매우 새로운 소리인데 어디서 들었는가?"
라고 물으니,
"서울에서 전하여 불려지는데 이 모의 작이라 합니다."
라고 대답했다.
광해군은 그것을 다시 부르게 하여 이를 듣고는 슬퍼하며 눈물을 흘렸다. 시가 사람을 감동시킬 수 있음은 이와 같다. 광해군 같은 사람도 어찌 더불어 선정하지 못하겠는가?
금남 정충신이 이항복을 따라 북쪽으로 갔을 때, 이항복의 귀양지에서의 생활을 아주 상세히 기록하였다. 이항복의 넓은 바다와 같은 기상을 뒷사람이 생각해 볼 수 있을 듯하다. 그런데 요즈음 듣건대 이 공의 자손들은 그것이 너무 호방하여 유자의 기상 같지가 않다고 하며 많이 고치고 바로잡았다고 하니 이 또한 탄식할 일이다.

자첨이 표주박을 지고 다니며 노래했던 일은 정녕 이천이 배 안에서 꼿꼿하게 앉아 있었음과는 같지 않다. 그러나 부교배로 하여금 이들을 따라 본받게 한다면 이천처럼 갑자기 될 수야 없겠지만, 어찌 자첨과 더불어 지냄을 놓치기야 하겠는가.

15

서경 유근이 호서 방백(충청도 관찰사)이 되었을 때, 선비 중에 군영에 구하는 바가 있는 사람이 월사 이정구를 찾아와서 소개장을 써 달라고 하자, 월사는,

"이 사람이 내 말을 중시할 사람이 아니다. 다만 인사말만 써 줄테니 그에게 갖다 주어라."

하면서 주의를 환기시키기를,

"아마 호서 방백이 내 편지를 보자마자 나에 대해 물을 것이니 그 때에는 다만 대답하기를, '이 공은 요즘 공의 시를 칭찬하기를 입에서 떠나지 않고 있다' 고 하면, 그는 반드시 자세하게 물을 것이다. 이에 대답하기를, '이 공은 요즘 어떤 사람에게 서경의 시 1연인,

소식은 적벽에서 놀았으나
이제는 창벽이요,
유량은 남루에서 놀았는데
여기는 북루일세.

라는 시구를 전해 듣고, 이것이 절창이라 하면서 내가 비록 평생 시를 지었어도 어찌 일찍이 이런 말을 했었는가? 서경이 지금 지방관으

로 나가 도는데 내가 그래도 문치상의 권력을 잡고 있으니, 이것은 내가 마음으로 부끄러워하는 바다'라고 하라."

하였다.

그 선비는 월사가 가르쳐준 대로 하였다. 그러자 서경은 과연 크게 기뻐하였고, 그 선비는 구하는 바를 만족하게 얻고 돌아갔다.

유근의 시는 정련되고 온화하여 관각시나 승평시에 뛰어났다. 그런데 김 공은 그의 데릴사위였는데 언제나 그의 시를 얕보고 그 잘못된 곳을 지적하였다. 김 공은 그 때 비록 나이는 어렸지만 크게 재주가 있어서 유근은 이를 깊이 꺼렸다.

김 공이 하루는 신고 있던 신발이 해져서 유근을 만나 이르기를,

"장인의 신작시를 보고 싶습니다."

하니, 유근이 시 한 편을 내보이자 김은 반도 읽지 않고서 숙연하게 안색을 바꾸면서 말하기를,

"제가 일찍이 망령되게 장인의 시문이 정교하나 기력이 부족하다 하였는데, 이제 이 작품을 보니 준장기발하여 그전에 보던 것과는 전혀 다릅니다. 이에 전에 제가 알았던 것이 도리어 미진함이 있었음을 알겠습니다."

하였다.

이에 유근은 크게 기뻐하면서,

"정말 그러한가? 내가 요즘 사마천의 《사기》를 읽었는데 아마 그 효과가 아닐까?"

하였다. 김 공은

"이는 의심할 것이 없습니다."

하면서 침이 마르도록 칭찬하였다.

김 공이 오래 앉아 있는 사이에 일부러 신발 찢어진 곳을 약간 드러

내 보이자, 유근은 그것을 보고 말하기를,

"사위는 어찌 해진 신발을 신고도 말하지 않는가?"

하고 즉시 노비를 불러서,

"전날에 서사가 보낸 녹피화를 가져오너라."

하였다. 김 공은 즉시 앉은 자리에서 헌 신을 벗고 새 신을 신은 다음
벌떡 일어나 길게 허리를 굽히면서,

"사실 장인의 문장은 썩은 새우젓과 같지만 내가 거짓 칭찬했던 것은
새 신발을 얻고자 했던 것뿐입니다."

하였다. 그리고 밖으로 나가니 유군은 경악할 따름이었다.

석주 권필의 시는 번화하지만 그윽한 멋이 없다. 산과 내를 노래한
시가 있는데 임진왜란 후에 경복궁에서 쓴 것이다. 이 시에 옥수·동타
란 말이 상서롭지 못하여 그 제목을 바꾸어 〈송도몽작〉이라 하였다. 시

가 비록 정밀하고 화려하지만 의미와 운치는 삭막하여 이를 두보의 시,

강머리 궁전은 닫혀 있고,
가는 버들가지 파란 들풀 누구를 위해 푸른가.
꽃길 뻗은 좁은 성문으로 봄기운 통하여,
부용꽃 핀 작은 궁원에는 변방의 수심 가득하네.

와 비교하면 어찌 큰 차이가 나지 않겠는가? 그의 〈전조사시〉에 실린
다음과 같은,

이별의 말 마음속에 있으나 단지 말할 수 없어,
헤어지는 술잔 손에 들고 일부러 늦춘다네.

죽기 전에는 다만 서로 그리워하는 날이리니,
떠난 뒤에 어찌 홀로 돌아섬을 견디어 내리.

라는 시 또한 교묘하지 않음은 아니지만, 잘못하면 마치 관서의 관기가
탕자와 이별하는 것과 같다.

관직에 오른 사람의 시가 어찌 이러한 내용을 담고 있는가? 옛 사람
이 시로 그 사람의 됨됨이를 알아볼 수 있다고 한 말은 옳은 말이다.

동학 이안눌이 명천으로 유배되었을 때의 등고시에는,

앵무새 문장을 어디에 쓰며,
기린의 그림도 이 세상 끝났네.
금 술잔에 상랑주 가득 부어,
한번의 청상에서 만고 시름 씻으리.

라는 구절은 특히 비장하다.

진나라 사람이 장난 삼아 상락주를 삭랑이라 불렀는데, 상과 낙을 절
음하여 삭이 되고 락과 상을 절음하면 랑이 되므로 서로 절음하여 부르
자, 마치 성씨가 삭인 사람과 같아졌다. 이제 상랑이라 혼칭하는 것은
온당치 못한 것을 알았다. 이는 우연하게 검토하다 발견하였는데, 아마
도 실수한 것이 아니겠는가?

16

백주 이명한이 여러 사람과 함께 용산에서 놀면서 시를 지을 때 주자
운을 대자, 이명한은 즉시 붓을 들어서,

타년 단청 가운데를 가리키면,

　　모자 벗고 미친 듯 노래하는 이가 백주이리라.

라 하였다. 계곡 장유 등의 대가도 이로 인하여 기가 꺾였다.

　　일찍이 지천 최명길이 말하기를,

　　"계곡 장유의 말은 나도 할 수 있지만, 이명한의 시는 잘 하기 어렵다."

하였다.

　　이명한이 어렸을 때에, 월사 이정구는 그에게 퇴지 한유의 〈남산시〉를 천 번 읽도록 시켰다. 이명한은 몹시 괴로워하며 억지로 팔백 번을 읽고는 끝내 천 번을 채우지 못하고 그만두었다. 〈남산시〉가 걸작임은 분명하나 이백과 두보의 시에도 더욱 좋은 시가 많은데, 어찌 유독 이것을 천 번이나 읽으라 했을까?

　　내가 생각건대 이명한이 자신의 재주만을 믿고 시문 외기를 좋아하지 않았기 때문에, 이정구가 일부러 번거롭고 산만한 문장을 외도록 함으로써 그의 날아오를 듯한 가볍고 예리한 기상을 꺾으려고 했을 것으로 여겨진다. 이것이 바로 황석 노인이 신발을 떨어뜨리고 집어 오게 한 뜻과 같은 것이다.

　　지금 시를 배우는 사람들이 〈남산시〉를 수없이 읽는 것을 공부로 삼는다면, 노인에게 신발을 한 번 갖다 준 사람은 모두 제왕의 책사가 될 수 있겠는가?

　　후당의 진왕 종영이 시 짓기를 즐겨 하자, 명종은 그를 경계하여 '장수 가문의 사람은 시를 지어도 반드시 잘 짓지 못하고, 다만 다른 사람들의 비웃음만 받을 뿐이다' 하였다.

　　중국 오나라 황제 시세종이 자신의 시를 범질에게 보이자, 범질은,

"지금 세상에는 외람되이 임금이라 하는 사람들이 대부분 시를 잘 짓습니다. 그래서 폐하의 시가 한번 나가면 반드시 천하에 전파될 것이고, 사람들이 폐하의 시에 대해 이러쿵저러쿵 말을 하면 폐하의 권위가 떨어질까 염려스럽습니다."

하니 시세종은 평생 동안 다시는 시를 말하지 않았다 한다. 두 제왕의 일은 정말 본받을 만하다.

어떤 사람은 '제왕의 시는 문사와는 다르니, 비록 잘 짓지 못했다 하더라도 문제가 없다'라고 한다. 만약 그렇다면 굳이 시를 써서 무엇하겠는가? 한의 고제와 무제가 천하에 영웅이 된 것은 그들의 〈대풍가〉와 〈추풍사〉 때문이 아니다. 원나라의 순제가

　　새는 단풍나무에서 울고,
　　사람은 푸른 산 중턱에 있다.

라고 한 구절은 천하에 불려지지만, 나라가 망하는 것을 막는 데에 전혀 도움이 안 되었으며, 고려 충선왕이

　　닭 우는 소리 마치 문앞의 버들 같다.

라고 한 시구는 어찌 사람들에게 천박함을 느끼게 하지 않겠는가?

이명한은 문장이 민첩하여 관각시와 응제시의 작품에 있어 대체로 여러 사람들을 앞질렀다.

〈항해조천이십운〉의 배율은 이명한이 일등을 차지했으며 택당은 굴복당했다. 택당이 이명한에게 말하기를,

"그대는 어찌 그렇게 장한가? 그렇지만 그대의 칩악강(움츠리고 있는

악어가 길게 뻗어 있다는 뜻)은 흉측한 말이라 할 것이다.”
하였다. 칩악강은 바로 이명한의 시 안에 나오는 흠잡힐 시구다.

17

송강 정철은 기상이 호방한데, 때로 술을 마시면 시 짓기에 실수가
있었다. 성혼이 이를 꼬집자 송강은 처음에는 아무 대답이 없다가 큰
소리로,

　　밤에 산비가 대나무를 울리고,
　　가을에 풀벌레 침상으로 다가오네.

라고 읊으면서 이것도 잘못이 있느냐고 물었다. 성혼이 웃으면서 그 다
음 구절의,

　　흐르는 세월을 어찌 막을 수 있으랴?

라는 구절에서도 좋은 점을 발견할 수 없다 하였다. 지금 살펴보니 이
시구는 어울리지 않는다. 성혼의 평은 아주 정확하다.

송강의 〈관동별곡〉, 〈사미인곡〉, 〈속미인곡〉은 우리 나라의 〈이소(초
나라 굴원이 지은 대서사시)〉이나, 그것은 한자로써는 쓸 수 없기 때문에
오직 사람들에 의해 구전되어 서로 이어받아 전해지고 혹은 한글로 써
서 전해질 뿐이다. 어떤 이가 칠언시로써 〈관동별곡〉을 번역하였지만
아름답게 될 수 없었다.

인도의 학승 구마라습이 말하기를,

"천축인의 풍속은 문체를 가장 숭상하여 그들의 찬불사는 지극히 아름답다. 이제 이를 중국어로 번역하면 단지 그 뜻만 알 수 있지, 그 말의 아름다움은 알 수 없다."

하였다. 이치가 분명 그럴 것이다.

사람의 마음이 입으로 표현된 것에 가락을 붙인 것이 시이다. 세상의 말이 비록 같지는 않더라도 진실로 말할 수 있는 사람이 각각 그 말에 따라 가락을 맞춘다면, 똑같이 천지를 감동시키고 귀신을 통할 수 있는 것이지 유독 중국만이 그런 것은 아니다.

지금 우리 나라의 시문은 자기 말을 버려 두고 다른 나라 말을 배워서 표현한 것이니, 설사 아주 비슷하다 하더라도 이는 단지 앵무새가 사람의 말을 흉내내는 것과 같다.

여염집 골목에서 나무꾼이나 물 긷는 아낙네들이 '에야디야' 하며 서로 주고받는 노래가 비록 비속하다 해도, 그 진가를 따진다면 결코 학사나 대부들의 이른바 시부를 흉내내는 것과 같은 입장에서 논할 수는 없다.

하물며 이 세 별곡에는 하늘의 기운이 자연스럽게 표현되어 있고, 상스러움이나 속된 성질이 없다. 옛날부터 오늘에 이르기까지 좌해(우리 나라)의 진문장은 이 세 편뿐이다. 그러나 세 편을 가지고 논한다면 〈후미인곡〉이 가장 좋고, 오히려 〈관동별곡〉과 〈전미인곡〉은 중국의 어휘를 빌어서 수식했다.

요로원야화기

박 두 세

지은이

1650~1733년. 조선 후기의 문신. 1682년(숙종 8년) 증광문과에 급제하
였다. 이후 홍문관직을 제수받았으며, 1686년 의금부도사가 되었다가 파
직되었다. 이후 진주 목사를 거쳐 지중추부사에 이르렀다. 남인에 속하였으
며 벼슬길이 순탄하지 못했다. 문장에 능하였으며, 운학에도 매우 밝았다.
저서에 《삼운보유》, 《증보삼운통고》가 있다.

요로원야화기

누가 상등 양반이냐

숙종 4년, 무오년 봄에 내가 과거를 보고 서울에서 돌아오는데, 의복이 남루한데다 하인도 없고 짐 실은 병든 말을 타고 가니, 지나는 곳마다 사람들이 나를 손가락질하며 비웃었다.

낮에 소사교를 출발하여 저녁에 요로원(아산에 있는 역원)까지 가려고 서두르는데, 오 리를 채 못 가서 말이 다리를 절었다. 그래서 채찍질을 마구 해 대면서 왔는데도 해질 무렵이 되어서야 요로원에 겨우 도착하였다.

나는 어느 주막집으로 들어갔다. 그런데 주인은 안 보이고 손님들이 벌써 방에 가득 차 있었다. 외롭고 힘든 행장에 주인을 큰 소리로 부를 수도 없는 처지였다. 그래서 어느 양반이 묵고 있는 방에라도 들어가 함께 묵어야겠다고 생각하였다.

봉당(안방과 건넌방 사이에 있는 토방) 위에 한 양반이 비스듬히 누웠다가 내가 오르는 것을 보고는 깜짝 놀라 하인을 불러 소리쳤다.

"너희들은 뭐하느라 행인을 막지 않았느냐?"

이에 하인 둘이 뛰어들어와 한 놈은 내 말을 밀치고 한 놈은 내 등을 밀어 내었다. 나는 밀리면서 다급히 말하였다.

"나는 남의 행차를 막고자 하는 것이 아니라, 잠깐 머물다가 다른 곳으로 가려고 하는 것이다. 그런데 너희 주인이 어찌 이렇게 대접할 수가 있느냐?"

이 때 봉당에 있던 한 객이 내 말을 듣고는 하인들에게 그만두라고 하였다. 이에 나는 봉당 앞으로 나아가, 이미 침구를 풀고 누워 있는 객에게 감사의 인사를 청했다. 그러나 그는 대답하지 않았다.

나는 속으로,

'아마도 이 사람은 서울에 사는 명문가의 양반이 틀림없는 것 같다. 내가 시골 사람이라고 업신여겨 대답도 하지 않는 것 같군.'

하고 생각하며, 나아가 더욱 공손히 절을 하였다. 그러나 객은 답례는 하지 않은 채 거드름을 피우며 나에게 물었다.

"그대의 집은 어디인가?"

나는 이미 그를 속이려고 작정하고 있던 터라 즉시 대답하였다.

"충청도 홍주 서면 금곡리에 있사오이다."

객은 내 말이 무척 공손함에 더욱 우쭐해진 듯 무시하는 듯한 태도로 다시 물었다.

"내가 그대에게 호적단자를 말하라고 하던가?"

내가 호적단자에 있는 고을과 면 이름까지 다 말하였기에 비웃는 말이었다. 나는 다시 머리를 굽혀서 대답하였다.

"높으신 분이 묻는데, 어찌 자세히 고하지 않겠습니까? 죄송하오나 방은 없고 밤은 이미 깊었으니 어르신 덕분에 여기서 밤을 지내게 해 주십시오."

이에 객이 희롱하여 일렀다.

"처음은 가려고 하고 이제는 자고자 하니 이는 두 말이로다."

이에 나는,

"처음은 있으라 하시고 이제는 가라 하시니 이는 한 말씀이옵니까?"

하고 되물었다. 객이 웃어 가로되,

"딴은 양반이렷다. 양반이 양반과 한 곳에서 잔들 어떠리요."

하고 물러섰다. 나는 덕분에 신세를 지게 되었노라고 하고는 하인을 불러 일렀다.

"마소 들여 매고 양식쌀을 내어라."

이에 객이 웃어 가로되,

"그대는 소도 가져왔는가? 어찌하여 말을 보고 소라는 말까지 곁들여 이르며, 양식 또한 쌀로 겸하여 이르는가?"

내가 대꾸하여 가로되,

"시골 사람은 말과 소를 같이 부르고, 양식을 쌀로도 같이 부르기 때문에 이런 말은 시골에서는 웃지 않는데, 행차께서 웃으시는 것을 보니 분명 서울에서 오신 분 같습니다."

하자, 객이 대꾸하였다.

"그대는 재미있는 사람이구려. 그래, 어디를 어찌하여 갔다가 어디로 해서 오는가?"

나는 일부러 시골 말투로 대답하였다.

"조그마한 연고가 있어 서울에 갔다가 오나이다."

"무슨 연고인가?"

"친척 중에 군역에 갔다가 죄를 지은 사람이 있어 돈을 주고 해결하러 갔다 오는 중입니다."

"서울에 아는 이가 누가 있으며, 주선하는 일은 어떤 방법을 쓰는가?"

"서울에서 주선하는 사람은 육조에서 일하는 김승이니, 김승은 병조 관원으로 출입은 비록 걸어서 하지만, 관대를 입고 사모를 썼으며 남에게 말을 잘 옮기지 않는 사람입니다. 무명 반 동(25필)을 들였으나, 이제 10여 필이 더 있어야 한다기에 다시 구하러 가는 길이오이다."

그러자 객이 탄식하며 말했다.

"그대는 남에게 속고 말았구려. 이른바 김승은 일개 서리요 관원이 아닌 듯하오. 관원이 어찌 걸어다니리요. 따라서 머리에 쓴 것은 사모가 아니라 승두요, 입은 것은 관대가 아니라 단령일 것이니, 그대는 그놈의 계략에 속아 아까운 돈만 허비하였네그려. 시골 사람들이 예사로 그렇듯 하노라."

그래서 내가 일부러 물었다.

"그러면 서리와 관원이 다르니이까?"

"참으로 한심하구나. 지금 시골 촌놈이라고 자랑이라도 하는 것 같군. 그대가 있는 금곡리에서는 조관 성부(성으로 둘러싸인 시가)를 보지 못하는가? 그대가 사는 곳에서 고을까지는 얼마나 되는가?"

"알지 못하되, 들으니 새벽에 출발하면 낮에 이른다고 하더이다."

객이 또 물었다.

"그 곳에 가면 백성이 모두 존경하고 추존하는 사람이 누가 있는가?"

"서원과 아전입니다."

"또 이에서 더한 이가 있는가?"

"목사는 영감이고, 영감은 한 읍의 왕이니 어찌 감히 아전 향소와 같이 논할 수 있겠습니까?"

"고을 영감은 서울 관원이요, 고을 아전은 서울 서리이니 서리는 진실로 양반이 아니다. 그대 양반이란 말을 아는가?"

"잘 모릅니다."

"벼슬에는 동서반이 있는데, 이 벼슬에 참여하는 자가 양반이니, 김승 같은 자는 양반이 아니니라."

그래서 나는 일부러 한탄스럽다는 투로 말했다.

"내가 시골 사람이라 관원과 서리를 구분하지 못하고 단령과 승두도 몰라 사람을 잘못 사귀었으니 원통하고 또 원통합니다."

"어찌 탄식을 하느냐? 돈을 낭비하여 탄하느냐?"

"값을 어찌 관계하리요마는, 다만 김승은 서리이고 나는 양반인데, 김승이 전에 나의 이름을 함부로 부르던 일을 생각하니 분하고 원통합니다. 행차를 못 만났던들 오랫동안 대욕을 받았을 것이니 행차의 덕이 적지 않습니다."

객이 웃어 가로되,

"그대는 시골에서 어느 정도의 양반인가?"

"상등에 속하는 양반입니다."

"상등 양반이면 어찌 친척이 군역에 참여하는가?"

"양반이라고 해도 임금을 사랑하는 마음을 어찌 쉽게 저버릴 수 있겠습니까?"

"그대 말이 옳다. 그대가 사는 시골에는 다른 양반이 누가 있는가?"

"북쪽에 사는 예 좌수와 동쪽 이웃에 사는 모 별감이 있습니다."

"그들 또한 상등 양반에 드는가?"

"그들 양반도 우리네 양반과 같으나, 위세와 권력은 가히 비길 바가 아닙니다. 하지만 예 좌수 미천하였을 때 그 안댁이 나물밭 매고, 그 아들이 소 먹이고, 여름이면 삿자리를 메고 물가에 가서 양반이라고 자랑하면서 멱을 감았고, 겨울이면 베를 끼고 시장에 가서 한량들과 함께 술을 마셨습니다. 또 권농이 오면 고개를 조아렸고, 서원이 오면 절하면서 갓을 숙였습니다. 그런데 하루아침에 별감이 되었고 얼마 지나지 않아 좌수의 자리에 오르니, 나가면 향역에 앉고 관리를 만나려 할 때는 뜰 앞에서 절만 하고 들어가서 영감을 만나게 되었습니다. 전일 시래기죽을 먹다가 오늘 하얀 쌀밥을 먹으며, 전일 걸어다니다가 이제 살찐 말을 타며 기녀와도 같이 자게 되었습니다. 더구나 기분이 좋으면 환곡(사창의 곡식을 봄에 빌려 주고 가을에 갚는 것)을 더 주고, 화나면 매질을 하고, 손님이 오면 술을 내놓고 입이 마르면 차를 마시었습니다. 같이 사귀던 벗이나 눈을 흘기던 사람들이 그의 앞에 나서기를 어려워하니, 위풍이 세상을 진동시키고, 선물이 끊이지 않았습니다. 이 아니 대장부 사업입니까? 한번은 예 좌수가 환곡을 나누어 주려고 사창에 나갔을 때, 나도 마침 환상을 얻으러 갔는데, 그가 나를 보고 삼배주를 들라고 하니 기특한 일이라고 칭찬을 하였습니다."

그러자 객이 말하기를,

"그대가 정말 상등 양반이구려."

하였다. 이윽고 하인이 진지(밥의 높임말)를 고하거늘, 내가 솔가지에 불을 붙여 주위를 밝히려 하였다.

그러자 객이 물었다.

"상등 양반이라면서 초도 가지고 다니지 않는가?"

"가지고 있었는데 어제 다 떨어졌습니다."

"솔불을 피우게 되면 눈이 매워 괴로우니 내 초를 켜게."

객이 초를 빌려 주었다. 초를 밝히니 빛이 참으로 황홀하였다.

내가 길을 떠난 지 오래라 반찬이라고는 말라빠진 간장과 청어 반 토막이 전부였다. 수저를 들어 밥을 먹으면서 부끄러워하는 체하니, 객이 살며시 웃으면서 말했다.

"상등 양반의 반찬이 좋지를 않구려."

이에 내가 대답하기를,

"시골 양반이 비록 상등 양반이나, 어찌 감히 성중 사대부에 비기리오."

하자, 객이 내 말을 옳다고 하였다.

시골 양반과 서울 양반

내가 밥을 반쯤 먹었을 때 하인을 시켜 물을 가져오게 하였다. 그러자 객이 나에게 말하였다.

"내 그대에게 상등 양반의 식사 예법을 가르치리라. 하인에게 물을 가져오라고 할 때는 올리라고 하지 말고 들이라고 하고, 숭늉을 먹으려거든 가져오라 하지 말고 진지하라 하느니라."

"행차의 말씀이 지당하시니 잘 배웠나이다."

내가 대답하자 객이 다시 물었다.

"그대 나이 몇이며, 장가는 들었는가?"

"나이는 스물아홉이며 장가는 아직 못 들었나이다."

"상등 양반이면서 아직도 장가를 못 들었는가?"

내가 탄식하면서 대답하였다.

"상등 양반이라도 장가들기가 어렵습니다. 나를 좋다고 하면 내가 싫고, 내가 좋다고 하면 그쪽에서 싫다고 하니, 지금 나와 같은 처지의 사람을 보지 못하였나이다."

객이 말하기를,

"그대 몸이 단단하여 제대로 자라지 못한 듯하고, 턱이 판판하고 수염이 없으니 앞으로 장가들 곳이 없을 것 같구려."

하였다. 이에 나는,

"옛말에 이르기를, 불효 가운데서도 후사가 없는 것이 가장 큰 불효라고 하였는데, 나이 삼십에 입장(장가드는 것)을 못 하였으니 어찌 민

망하지 않겠습니까?"

하였다.

"예 좌수나 모 별감 집에도 구혼을 못 하는가?"

"구혼한 적이 있었으나 좋아하지 않더이다."

이에 객이,

"그대 얼굴이 단정하고 말이 민첩한 것으로 보아 헛되이 늙지는 않을 것 같은데, 예가나 모가가 혼인을 허락하지 않은 것은 뭔가 잘못된 듯하네. 내가 그대를 위하여 아름다운 배필을 구해 주겠네."

하였다.

나는 곧이 듣는 체하며 기뻐하는 낯빛으로 물었다.

"아니, 행차 문중에 아기씨가 계십니까?"

객이 답은 하지 않고 혼잣말로,

'어린것을 희롱하다가는 낭패를 보겠는걸.'

하고는, 문중에는 없으니 다른 데서 구해 보겠다고 하였다. 그러면서 나에게 말하길,

"그대가 비록 머리에 관은 썼더라도 장가를 들지 못하였으니 노도령이라."

하면서, 이후에는 나를 노도령으로 불렀다.

그런데 객이 말을 그칠 때면 이따금 혼자서 애강남, 익주부자묘비, 고부, 고시 같은 글을 읊었는데, 나는 모르는 체하며 물었다.

"행차가 읽으시는 글이 무슨 글입니까?"

"풍월이니라. 한데 그대의 형상을 보니 활은 쏘지 못할 것 같고, 글은 읽을 줄 아는가?"

"문자는 배우지 못하고 글은 잠깐 배웠지만, 다만 열다섯 줄 중에 둘째 줄 같은 줄은 외우기 어려웠나이다."

하자 객이 말하기를,

"그것은 언문으로, 진서에는 이 같은 글줄이 없네."

하였다. 이에 내가 대답하기를,

"우리 시골에는 언문을 하는 이도 적은데 어찌 진서를 바라리요. 진실로 진서를 하게 되면 크나큰 존경을 받을 것입니다. 우리 시골에 어떤 사람은 천자를 읽어 서원이 되었지만 치부하는 것으로 유명하고, 또 한 사람은 사략을 읽어 교생이 되어 과거를 보러 다니는데 공사소지를 나는 듯이 써 선물이 구름처럼 쌓여 가계에 보탬을 주고 있습니다. 이런 장한 일은 아무나 못하려니와, 우리 금곡리 중에도 김호주는 언문을 잘하여 결복(논밭에 세금을 매기는 것)을 마련했고, 고담을 많이 읽어 호주를 한 지 10여 년에 엄청난 부를 쌓았으니, 사나이로 태어나서 비록 진서를 못하나 언문이나 잘 하면 거리낄 것이 없습니다."

"그대 그러면 호주를 하고자 하는가?"

"호주도 사람의 일개 소임이니 돈이나 마련하는 데 쓰고자 합니다."

이에 객이 한숨을 쉬며 말하기를,

"사람이 어찌 다르리요마는 진서를 모르는 자도 사람이라 할 수 있는가?"

"나는 글을 못해도 남이 사람이라 하니, 어찌 반드시 글을 한 후에야 사람이라 하겠습니까?"

"사람은 한두 부류가 아니네. 그대 옛 사람 중에 공부자라는 이름을 들어 본 적이 있는가?"

"듣지 못하였나이다."

"그러면 고을 향교의 제사는 누구에게 지내는가?"

"공자께 드립니다."

"공부자란 바로 공자를 이르는 것이니라."

"시골 사람이라 무식하여 공자는 들어 보았으나 공부자는 들어 보지 못하였나이다."

내 말에 객이 크게 웃으며 다시 물었다.

"그러면 도척(춘추 시대의 도둑)이라는 사람에 대해서는 들어 보았느냐?"

"예, 들었습니다."

"도척과 공자 중에서 누가 더 어진가?"

"공자는 성인이요, 도척은 흉측한 도둑입니다."

"진실로 옳도다. 청천 백일은 하인들도 그 밝음을 알고, 황혼은 금수도 어두운 줄을 아나, 도척에 대해서는 전혀 구별을 못하니 어찌 슬프지 않으리요. 글 잘하는 이는 성인이요, 글 못하는 이는 금수와 같다."

이에 내가 대답하였다.

"행차는 글을 하시니 진실로 성인이시고, 나는 언문을 하니 금수는 면하리오다."

객이 웃으며 가로되,

"도척이라도 언문을 못하랴."

하고 대답하고는 혼잣말로,

'그러나 말은 된다.'

하였다. 나는 못 들은 체하며 물었다.

"행차께서 읽으시는 풍월은 무슨 글입니까?"

"그대는 풍월을 배우고자 하는가? 풍월이란 것이 다섯 자와 일곱 자를 모아서 하나니, 그대 나와 풍월을 화답함이 어떠한가?"

내가 크게 웃어 가로되,

"진서를 모르는데 어찌 풍월을 읊겠습니까?"

하자 객은,

"비록 진서를 몰라도 육담으로 하여도 풍월이니라."

하였다. 이에 나는 별수 없다는 듯이,

"저는 비록 육담은 하지만 다섯 자, 일곱 자를 어떻게 모아서 하는지 잘 모르니 가르쳐 주십시오."

하면서 부탁하는 척하였다. 그러자 객이 말하기를,

"그대는 언변이 좋아 육담풍월을 잘할 것 같으니 한번 시험해 보겠네."

하면서 자기가 먼저 지어 볼 테니 배워서 지으라고 말하고, 시 한 구를 먼저 읊어 나갔다.

> 내가 시골 사람과 내기를 하고 보니
> 글을 짓기가 괴이하구나.

내가 듣고는 거짓으로 노한 척하며 말하였다.

"행차께서는 지금 나를 희롱하려 하십니까?"

"시골 사람이 어디 그대뿐이겠는가? 내가 전에 이러한 자들을 많이 겪었기 때문에 한번 해 본 소리네. 그대를 희롱하려 한 것은 아니네. 그대 같은 사람은 쉽게 찾을 수 없지."

객이 당황하여 얼버무림에 내가 만족해하자, 그가 또다시 한 구를 읊었다.

> 언문을 알지도 못하는데
> 어찌 진서 못함이 괴이하리요.

그리고 나서는 나에게 화답을 하라고 하였다. 내가 거듭 사양하자 거짓으로 노한 척하더니, 다시 웃으며 말했다.

"내 이미 먼저 지었거늘 그대가 끝내 화답하지 않음이 나를 업수이 여김이라, 어찌 그대를 이 곳에서 몰아 내지 않으리요."

"내쫓으시려면 내쫓으시지 어찌 사람 대하기를 어린아이같이 하십니까? 내 비록 시골 사람이요 글자를 모르나, 그런 말은 조금도 겁나지 않습니다."

내가 짐짓 화가 난 체 말하자,

"그대는 당돌하기 그지없구려. 조금 전에는 내 잠시 희롱해 본 것 뿐이네."

라고 하며, 다시 한 번 화답해 줄 것을 청해 내 한 구 읊어 화답하였다.

　내 서울 것을 보니
　거동이 과연 오랑캐 같구나.

객이 듣고 놀라 일어나 앉아 내 손을 잡으며 나를 뚫어져라 쳐다보았다.

"아이고, 사람을 어찌 이렇게 속일 수가 있소이까? 그 동안 그대의 간사한 꾀에 속아 그만 창피를 당하고 말았구려. 전에도 길 떠나면서 이렇게 한 적이 많았지만 한번도 이런 부끄러움을 느낀 적이 없는데, 그대를 만나 이렇듯 창피를 당한 것이 내 탓이긴 하지만, 그대도 나를 욕함이 어찌 이리 심할 수가 있소이까?"

내가 웃으며 대답하였다.

"서울 사람은 그대뿐만이 아니오. 내가 서울 사람이라 이른 것은 그대가 아니라, 내가 전에 만났던 사람을 이른 것이오. 그대와 같은 이는 진실로 쉽게 찾아볼 수 없소이다.”

“그 말은 내가 먼저 했던 말인데, 어찌 대답하기를 똑같이 하시오?”

“옛말에 자기에게서 나온 말은 자기에게로 돌아간다고 하였는데, 그대는 듣지 못하였소?”

내가 계속 행차라 부르다가 갑자기 그대라 하니, 객이 조용히 웃으며 물었다.

“행차는 어디 가고 그대라 이르는가?”

내가 대꾸하기를,

“노도령은 어디 가고 그대라 이르는가?”

하고 반박하자, 객이 나에게 물었다.

“노도령이라는 말이 듣기 좋았소?”

“노도령을 혼인시켜 준다고 속이지 말라. 나는 반드시 그대의 문중 아기씨에게 장가를 들리라.”

내가 이렇게 대꾸하자, 객이 크게 웃으며 말했다.

“내 문중에 아기씨가 있은들 예 좌수, 모 별감도 안 한다는 혼인을 어찌 하겠다는 것이오? 그대의 궤변은 참으로 예측할 수가 없구려. 내가 처음 마소들이란 말을 들었을 때 그대를 잠깐 무시하였고, 두 번째 김승과 호자호형한다던 말에 더욱 가벼이 여기고, 마지막으로 문자를 모른다는 말에 완전히 무시해 버리고 말았소. 그대가 글을 잘하면서도 못한다고 하며 나를 속인 것은 간사하기 그지없는 짓이오.”

내가 말하길,

“그대는 병법을 보지 못하였소? 병법에 이르기를, 날랜 새가 장차 먹이를 낚아채려 하면 그 발톱을 감추고, 날랜 범이 장차 뛰려 하면 그 몸을 움츠린다고 하였으니, 내 처음 그대에게 절을 할 때 너무 나를 업수이 여김을 알고는 내 장차 그 어리석음과 교만한 뜻을 속여서 고

쳐 주고자 하여 마지못해 발톱을 감추고 몸을 줄였으니 어찌 간사하
다고 하리요."
하였다. 이에 객이 말하기를,
"그대가 말하기 전에는 진정 그러한 줄을 알지 못했소."
하면서 글짓기를 다시 청하였다.

향객의 뛰어난 시재

내가 금세 한 구절을 읊조렸다.

　　대충 인물을 빌리긴 했는데
　　과거의 옷과 관이 꿈은 아니구나.

객이 말하기를 ,
"그대에게 너무나 심하게 속아 부끄럽기 짝이 없소."
하면서 우리가 지은 글을 자세히 읽어 보고는 물었다.
"그대 글은 모두 내 글에서 나오니 항복하거니와, 첫째 운자는 낮고
둘째 운은 높으니 어찌 된 일이오?"
"그대 글과 같이 하느라 둘째 운을 일부러 높였으니, 그대 또한 둘째
운이 높지 아니하오?"
내가 말하니, 객이 깨닫고 놀라 가로되,
"그대의 재주는 당하기 어려워 매번 속으니 부끄럽기 짝이 없구려.
밤인 탓에 그대를 몰라보았으나 낮 같으면 어찌 몰라보았겠소?"
하며 내 이름을 묻기에, 내가 사양하여 말하기를,
"향객이 어찌 먼저 말하겠소? 서울 사람이 먼저 하시오."

하자, 객은 이름은 말하지 않고 다만 회현방골에 산다고만 하였다. 아마도 내게 속은 것을 부끄럽게 여겨 자신의 이름을 밝히는 것을 꺼리는 듯싶었다. 그러면서,

"그대의 궤변은 너무나 어려워 재주가 있는 사람이라도 속지 않기가 어려울 듯하오."

하니, 내가 말하기를,

"내 비록 향객으로 검은 삿갓을 쓰고, 무명포로 된 낡은 옷을 입기는 하였으나, 처음부터 내 절을 받아 주지 않았으니 양반이 어찌 그럴 수 있소?"

하면서 핀잔을 주었다.

"그런 말 다시는 하지 마오. 우습고 부끄럽소."

하면서 객이 술과 안주를 들이니, 술병은 유합이요 잔은 앵무였다. 서로 나누어 마시고 안주를 씹으며 누웠는데, 객이 다시,

"이제 그대의 재주를 알았으니 진서풍월로 화답함이 어떠하오?"

하면서 시구를 한 수 읊었다.

촉주의 한가가 위가 됨을 알지 못하니
위사 어찌 범가가 장가인 줄 알리요.

예로부터 어진 사람도 속은 이 많으니
오늘 그대에게 속았으나 웃지는 말라.

내가 즉시 화답하였다.

배 주리던 상사람이 전제의 왕이 되고

밭 갈던 상사람이 뒷날 대초의 장수가 되었구나.

부귀로써 가난한 선비를 우습게 보지 말라
사람이 교만하면 속임을 당하지 않을 이 없느니라.

객이 말하길,
"참, 좋소. 이번에는 시구를 연결하여 한번 겨뤄 봅시다."
하기에, 내 먼저 허락하고 읊었다.

역려에서 만나 역려에서 서로 이별하니
고인의 심사는 고인이 알리라.

그러자 객이 읊기를,

　　다른 때라도 오늘 밤을 떠올릴 터인데
　　밝은 달이 비치는 밤이면 반드시 오늘을 기억할 것이오.

하더니, 이번에는 사운을 떼서 지으라고 하였다. 그러면서 먼저 읊기를,

　　자던 새가 처음으로 고원의 주위를 날아다니다
　　잠깐 동안 우연히 만나게 되니 이는 곧 아름다운 인연이 아닌가.

　　버들가지 위에 누런 꾀꼬리가 나는 것은 봄이 저문 후요
　　술동이에 가득한 술은 달빛 아래 밝도다.

　　남주의 숨은 선비는 보배를 속에 품었으니
　　동락의 용렬한 속으로 하늘을 보는구나.

　　머물며 글 지은 것으로 다른 때에 면목을 삼으려 하니
　　어찌 반드시 이름을 전하리요.

이에 내가 화답하였다.

　　맑은 바람 밝은 달의 흥취가 끝이 없구나
　　이 땅에서 서로 만남이 실로 인연이로다.

　　천금과 같이 중한 허락은 서로 사귄 후에 필요하거늘

청사에 남을 공명은 아직 늙기 전일세.

슬픔과 즐거움을 그대 능히 술에 부쳤거늘
궁함과 통함은 내 스스로 하늘로부터 들었도다.

어린아이로 사마를 알게 될 것이니
어찌 오늘 성명 전하기를 꺼리리요.

이에 내가 6언으로 화답하라고 하면서 먼저 읊었다.

서울길 푸른 나무는 그대 있는 곳이고
넓은 물 푸른 산은 내 집이로다.

크게 취해 부른 노래가 끝없이 퍼져 가니
망망한 우주는 얼마나 되는가.

이에 객이 화답하였다.

좋은 밤 밝은 달은 천 리를 비추고
아름다운 복숭아꽃은 집집마다 피었구나.

동이술로 글 논함이 끝이 없으니
밝은 아침에 이별하는 뜻은 어떠한가.

내가 또 삼오 칠언으로 하자고 제의하면서 먼저 읊었다.

손에는 잔이 머물고
입으로는 시를 읊는구나.

꽃은 바람 앞에 하얀 눈이 되어 떨어지고
버들은 비온 뒤에 실을 흔드는구나.

요로원에서 요로의 객을 만나니
낙양 사람이 낙양으로 가는 것과 같지 않을까.

객이 화답하기를,

그대는 잔을 들고
내 시를 들으라.

오늘은 얼굴이 옥같이 고우나
내일 아침이면 귀 밑에 실 같은 흰머리가 자라리라.

덧없는 세월은 과객 같으니
노는 모습이 마치 소년 같구나.

내가 말하기를,
"그대의 재주는 진실로 기특한지라, 나 같은 재주로는 당하기 어렵소
이다."
하니, 객이 말하기를,
"겸손해하지 마시오. 내 아이 적부터 글재주가 뛰어나 비록 어른에게

도 항복한 적이 없었는데, 오늘 그대의 재주를 보니 항복하지 않을 수가 없소."

객은 온갖 방법으로 나를 이기려 하였으나 결국 이기지 못하자, 교묘한 글귀를 지어 겨루고자 다시 청하였다. 내가 허락하자 먼저 지어 읊었다.

좀전에 어찌 어두워 그릇된 그대의 꾀에 빠졌던가
원대한 뜻을 가진 사람을 하찮게 보는 자가 알 수 있겠는가.

내가 대답하여 가로되,

크게 쓰이기 위해 종래부터 슬기로움을 쌓았으니
또한 마땅히 돌아가 음부경을 읽는 것이 어떠한가.

하자, 객이 말하기를,
"좋소. 정말 믿기 어려운 재주구려."
하면서 칭찬하자, 나 또한 객의 시가 아름답다고 응하면서 그에게 다시 청하였다.

"청컨대 연구를 짓되, 위로 첫 자에 나무 목자를 쓰고 아래 자는 흙 토자를 쓰고, 둘째 구 첫 자에 물 수자를 쓰고 아래 자는 불 화자를 쓰고, 상하 연구에는 쇠 금자를 들여 오행시로 화답함이 어떠하오?"
"쉽지는 않겠구려. 허나 그대가 지어 내면 내 어찌 사양하겠소?"
객이 허락하자 내 즉시 한 짝을 지어 읊었다.

평초 같은 자취 어느 곳에 이르렀느냐

꽃달이 빈 마당에 가득하였도다
흐르는 그림자 술동이에 비치는구나.

이에 객이 이어 읊는데, 내가 알아듣지를 못하여 다시 해 줄 것을 청하자,
"여러 번 화답하기 어려우니 이해하여 주시게."
하며 애원하였다. 내가 다시,

맑고 흰 것을 마시는도다.

하고 답하자, 객이 혀를 내두르며 탄식하였다.
"진실로 그대 같은 재주를 가진 이는 만난 적이 없소."

밤이 깊도록 시국을 한탄하다

글짓기를 그치고 촛불을 낮추어 서로의 회포를 풀기 시작하는데, 객이 말하기를,
"그대 같은 재주를 가진 이가 어찌 이리도 초라한 행색을 하고 있소? 그 동안 과거를 몇 번이나 보았소?"
"과거를 보려는 선비의 일이 심히 괴롭기 짝이 없소. 일찍이 동당에서 장원을 하고, 감시에서 장원하고, 증광의 초시를 통과하였으나, 회시에서는 연속하여 떨어지니 향시는 쉽고 경시는 어려운 듯하오이다."
"아니, 그렇지 않소이다. 그대 같은 재주를 썩히려 하다니 정말 괴이하고 슬픈 일이오. 지금의 과거는 심히 공정치 못한 면이 있소. 대대

로 벼슬을 한 집안의 자제는 쉽게 합격을 하고, 시골 선비는 과거를 보더라도 모두 급제하지 못하고 있소. 그렇지 않다면 그대와 같은 훌륭한 재주를 가지고 이렇듯 초라하게 지내겠소? 대과는 힘으로 못하겠지만 소과는 당장이라도 못 할 리 없지 않소?"

"소과는 겨우 하였소이다."

"정사년의 방을 보았소이까?"

"이전에도 시골 사람들이 많이 응시하였다 들었소."

"갑인년에는 세도가 자제가 비록 글을 못하여도 나이 열다섯이 되면 과거에 통과시키는 비리가 있었지만, 정사년에는 세도가 자제에 대한 감시가 엄하여 시골 유생이 많이 보았다고 하더이다."

하며 객이 말하였다. 내가 말하기를,

"나도 정사방을 보았소이다. 그대는 어느 방에 임하였소?"

"증광시에 임했소이다."

객이 대답하자, 내가 웃으며 말하였다.

"그대는 정사년의 비리를 그렇게 큰 소리로 말하더니, 이것은 목욕하려고 옷 벗은 자를 희롱함과 매한가지가 아니오? 그러나 어찌 한둘이야 정당하게 참여한 이가 없겠소?"

"그대는 아들이 없소이까?"

객이 물었다.

"있으나 아직 어리고, 형의 아들이 겨우 육칠 세요."

"셈과 방위는 가르쳤소?"

"셈은 가르쳤으나 방위는 가르치고자 아니하오."

"어째서 그렇소?"

"지금 세상에 동서남북 알기를 심히 하니, 아이들을 가르치지 않아도 세상을 좇아 배울까 겁이 나오."

내가 말하자, 객이 웃으며 말하였다.

"당 문종이 〈편론〉에서 말하길, 하북의 적은 물리치기 쉬워도 조정의 붕당은 물리치기 어렵다고 하였으니, 사람마다 자식 가르치기를 그대 처럼 하면 어찌 〈편론〉이 있을 수 있겠소?"

"그대는 어찌 붕당의 이야기를 들어 말하시오? 당시 우가·이가 어느 쪽에도 퇴지 한유는 편들지 아니하고, 낙촉붕당이 성하였을 때 정이 천이 대현이로되 그들의 권유를 떨치지 못하였으니, 퇴지의 도덕 학 문이 정이천에게 비하지 못할 것이로되, 퇴지는 붕당에 휩싸이지 아 니하고 정이천은 휩싸여서 시시비비의 낭패를 면치 못하였으니, 이는 정이천이 방위를 몰라서가 아니라 문중의 한 사람이었기에 화를 당할 수밖에 없었던 것이오."

내가 이렇게 대꾸하자, 객이 화제를 다른 곳으로 돌렸다.

"지금 조정의 청론 탁론은 어찌 될 것 같소?"

"나는 시골에 있는지라 어찌 세상 돌아가는 일을 알리요. 다만 얕은 견문으로 보아, 탁론은 권세를 따르고 청론은 깨끗함을 돌아보니, 청 류는 물러가기 쉽고 탁류는 물러가기 어려울 것이오. 그러니 쉽게 물 러서는 청류는 권세에 별 뜻이 없으므로 자신의 소견을 지킬 것이고, 물러서려 하지 않는 탁류는 권세에 매여 처신할 것이니, 어찌 탁류가 이길 수 있겠소?"

내가 말하자, 객도 진실로 그러할 것이라고 동의한 뒤에 다시 물었다.

"그대는 시골에서 가세가 빈한하오? 어찌 이리도 의복이 피폐하고 안 색이 피곤해 보이오?"

"그렇소이다. 자운이 가난을 내쫓아도 다시 오고, 퇴지가 궁핍함을 내몰아도 다시 온다고 하지 않았소?"

"그대는 인의를 중히 여기니 길이 빈천할 것으로 여겨지오. 하지만 사나이로 태어나 세상에 나와서 세 가지 행함직한 일이 있으니, 글 읽어 궁리하여 세상 명유됨이 제일이요, 과거를 보아 효양부모함이 두 번째요, 그렇지 못하면 차라리 집을 다스려 농사일에 힘써 의복을 좋게 하고 위로 부모를 효양하고 아래로 처자를 보호함이 마땅하지 않으리요. 마음을 과업에 전념하고 생계를 저버리는 것은 좋은 방책이 아니오. 원나라의 허로재가 말하기를, '학문을 하려면 마땅히 생계를 먼저 다스려라. 생계가 곤란하면 학문에 방해가 된다'고 하였으니, 어찌 옳은 말이 아니오?"

하자 내가 대답하길,

"그대 말이 옳소. 그 뜻을 생각하니, 한나라의 사마천이 부와 이익을 희롱하던 것이 생각나는구려. 옛날 근재지도 말하기를, '도덕에 뜻을 두면 공명이 족히 그 마음을 더럽히지 못하고, 부귀에 뜻을 두면 또 아니 할 일이 없다' 하였으니, 사람이 마땅히 이런 말로써 법을 삼나니 이른바 글을 읽어 도리를 구함이 세상 사람의 이학이 아니오?"

하니 객도 동의하였다. 내가 다시 말하였다.

"이학은 반드시 팔짱을 끼고 꿇어앉기를 일삼으니 그 뜻이 어찌 된 것인가. 이렇게 하지 않으면 학문을 못하는 것인가. 이학을 하는 이들 중에는 공자 같은 이가 없으니 공자가 팔짱을 끼고 꿇어앉았다는 말은 듣지 못하였소."

가만히 듣고 있던 객이 말하였다.

"이학하는 데 마음잡는 것이 제일의 공부니, 마음을 잡으면 학문에 드는 것이고 놓으면 들지 못하는 것이니, 진실로 마음을 잡지 못하여 제멋대로 놀기만 하면 금수됨이 머지 않으리라. 이런 연유로 학자는 반드시 팔짱을 끼고 꿇어앉아 그 마음의 온전함을 구하고, 마음이 온전해진 후에야 덕이 있으리니 그대 말이 틀리오. 옛날 원양이 걸터앉

앉거늘, 공자가 막대로 치시니, 공자의 팔짱끼고 꿇어앉으심을 이로써 알 수 있을 것이오."

이에 내가 웃으며 말했다.

"옛날 정 선생이 매양 사람이 정좌함을 보시고 그 학문을 잘한다 하시니, 내 잠깐 옛 글을 읽었는지라 어찌 학자의 무릎 여미시던 일이 귀한 줄 모르리요마는, 예로부터 거짓으로 외모를 꾸며 거짓 명성을 얻는 자가 많아 호탕한 강초와 방탕한 종남의 비웃음을 면치 못하였다고 들었소."

하니, 객은 나의 말이 너무 과격하다고 하였다.

그 때 객의 말이 놓여 밖이 요란하니, 객이 급히 성을 내어 하인을 꾸짖었다.

"어찌 말을 놓아 이리 시끄러우냐? 엄하게 다스리리라."

이에 내가,

"말은 싸우기를 예사로 하는 동물인데, 어찌 그리 급하게 화를 내시오?"

하자, 객이,

"진실로 이것이 나의 병통이오. 고치고자 하나 잘 되지 않소."

"고치는 것은 어렵지 않소. 내 어릴 적에 성질이 급하여 고치려 해도 쉽게 고치지 못하였으나, 어느 날 아침에 홀연 깨달으니 쉽게 고쳐졌소이다. 마음이 노여울 때 참을 인자를 생각하면 노엽던 마음이 자연 없어지기에, 이 때부터 아홉 글자를 써서 늘 보고 외우고 있소."

"아홉 글자란 무엇이오?"

"그릇된 생각이 나면 '바를 정' 자를 생각해서 그것을 없애고, 거만한 마음이 나면 '공경할 경' 자를 생각해서 거만함에 이르지 않고, 나태한 마음이 나면 '부지런할 근' 자를 생각해서 그것을 없애고, 사치스러운 마음이 생기면 '검소할 검' 자를 생각해서 사치함에 이르지 않소. 또 남을 속이고 싶은 마음이 나면 '정성 성' 자를 생각하여 속이지 않고, 이익을 구하는 마음이 일어나면 '옳을 의' 자를 생각해서 욕심을 취함에 이르지 않고, 말을 할 때는 '잠잠할 묵' 자를 생각하여 말의 실수를 막고, 희롱할 때는 '영웅 웅' 자를 생각하여 가벼움에 이르지 않소. 마지막으로 화가 날 때는 '참을 인' 자를 생각하면 급한 행동을 막을 수 있소."

내가 이렇게 대답하자 객이 말했다.

"그대의 아홉 가지 생각은 몸을 깊이 살핀다 할 수 있소. 하지만 여덟 가지는 잘 생각하였으나 한 가지는 잘못된 것 같소."

"어째 그렇소?"

"그대가 나를 속일 때 '정성 성' 자를 생각지 못했소?"

내가 큰 소리로 웃으며 말하길,

"그대가 내게 속은 것이 그렇게 마음에 맺혀 잊지 못하겠소?"

하자, 객이 말하였다.

"나를 어찌 그렇게 여기시오? 내가 아직까지 그것을 마음에 두었겠소. 옛날에 자산이 슬기롭지 못하여 교인이 자산을 속이니, 그대처럼 그렇게 하면 누가 속지 않겠소?"

하고는 서로 웃고 함께 자고 일어나 보니 날이 이미 밝아 있었다. 이윽고 서로 인사를 하고 길을 나눠 떠나니, 저도 내 이름을 모르고 나도 제 이름을 모르더라.

오륜행실도

작가 미상

효 자 편

아버지를 변화시킨 순 임금

중국 우나라의 순 임금은 효성이 매우 지극하였다. 아버지는 성질이 억세고 고집스러웠으며 어머니는 미련하고 아우는 버릇이 없었으나 순 임금이 이들을 화합하게 만들었다.

순 임금이 역산에서 농사지을 적에, 밭으로 가서 하늘과 부모에게 울부짖으며 허물을 자기에게 돌린 후, 부모를 진심으로 공경하여 자식으로서 도리를 다하고 아버지께 항상 조심하니, 아버지도 진심으로 이를 믿고 온순해졌다.

맹자가 말하기를,

"순 임금이 어버이를 섬기는 도리를 극진히 하자 아버지가 기뻐하였고, 그 아버지가 기뻐하자 온 세상이 감화되었으며, 세상의 아버지와 아들이 되는 도리가 정해졌으니, 이를 큰 효도라 한다."

했다. 또 《당문수》에 이런 기록이 있다.

"순 임금이 역산에서 농사지을 적에 코끼리가 그를 위하여 밭을 갈고 새가 그를 위하여 밭을 매어 주었다."

새어머니를 감복시킨 민손

중국 노나라의 민손은 공자의 제자이다. 어머니가 죽자 새어머니가 들어왔는데, 새어머니는 두 아들을 낳은 뒤 민손을 미워하기 시작하였다. 그래서 겨울이 되면 자기가 낳은 아들에게는 솜옷을 입히고 민손에게는 갈대꽃을 넣은 옷을 입혔다. 아버지가 겨울철에 민손을 시켜 수레를 몰게 하였더니, 민손의 손이 얼어 있어 수레를 몰지 못하였다. 아버지는 그제서야 새어머니의 악행을 알게 되어 새어머니를 쫓아 내고자 했다. 이에 민손이 아버지께 아뢰기를,

"어머니가 계시면 한 아들이 춥고, 어머니가 안 계시면 세 아들이 추울 것입니다."

하니, 아버지가 그 말을 옳게 여겨 내쫓는 것을 그만두었다. 그러자 새어머니도 감복하고는 이 때부터 민손에게 친자식과 다름없이 대해 주었다.

매맞고 운 백유

중국 한나라에 한백유라는 효자가 살고 있었다. 그에게 조금 잘못이 있어서 어머니가 매를 때렸는데, 한백유가 울었다. 어머니가 묻기를,

"다른 날에는 매를 맞아도 울지 않던데, 오늘은 우니, 무슨 까닭이냐?"

하니 그가 대답하기를,

"전에 잘못을 하여 매를 맞았을 때에는 아팠는데, 이제는 어머님의 힘이 약해져 아프게 때리지 못하시니, 이 때문에 웁니다."

했다.

색동옷을 입은 노래자

노래자는 중국 초나라 사람이다. 지극한 효성으로 부모를 공양하였는데, 나이 70에도 어린아이 놀이를 하고 색동옷을 입었다. 물을 가지고 마루에 오르다가 거짓 넘어져서 어린애가 우는 시늉을 하는가 하면, 부모님 곁에서 새 새끼를 희롱하여 기쁘게 해 드리고자 하였다.

아버지를 살린 반종

중국 송나라 오흥에 반종이라는 아이가 있었다.

그 때 손은이라는 자가 난리를 일으켜 나라 안이 어수선하였는데, 사나운 도적 떼가 반종의 마을을 습격하였다.

반종은 아버지를 데리고 도적 떼를 피해 달아났으나 나이가 많은 아버지는 빨리 따라오지를 못하였다.

도적 떼가 가까이 오자 아버지는 아들에게 혼자서 가라고 했다. 그리고는 길에 주저앉아 버렸다. 마침내 도둑 떼가 몰려와 이들 부자를 에워쌌다.

반종은 그들 앞으로 달려나가 땅바닥에 머리를 조아리며 사정했다.

"제발 늙으신 저의 아버지를 살려 주시고 대신 저를 잡아가십시오."

그러자 이번에는 아버지가 간청했다.

"저 아이는 젊어서 도망갈 수도 있었소이다. 그런데도 이 늙은 애비를 혼자 남겨 둘 수 없어 달아나지 않았던 것이오. 나는 이미 늙어서 죽는 것이 당연하니 이 늙은이를 죽이고 저 아이를 살려 주시오."

그러나 도둑은 들은 체도 안 했다.

한 도둑이 칼을 빼어 아버지의 몸을 내려찍으려 하자 반종이 몸을 던져 아버지를 감싸안고 엎드렸다.

도둑은 반종의 몸뚱이를 마구 내려찍어 네 군데나 깊은 상처가 나서 피가 낭자했다. 그는 아버지를 감싸안은 채 기절하고 말았다.

이것을 바라보던 도둑 한 명이 앞으로 나와 더 찌르려는 도둑의 칼을 막아 그들 부자를 살려 주었다.

이 일을 지방의 한 벼슬아치가 자세히 적어 황제에게 알렸다.

황제는 반종의 고을에 순효촌이라는 이름을 내리고, 그 집안에 3대까지 세금을 내지 않아도 되는 특혜를 내렸다.

오디를 나눈 채순

중국 한나라 하남성 여남 땅에 채순이 살고 있었는데, 어려서 아버지를 잃었다.

어느 날, 나무하러 가는 길에 갑자기 손님이 왔으므로 어머니가 손가락을 깨물었다. 채순이 이상한 생각이 들어 다시 돌아가 까닭을 물으니, 어머니가 말하기를,

"손님이 왔기에 내가 손가락을 물어서 네가 알게 하였다."
했다.

사람들끼리 서로 으르렁대던 왕망의 난리 때에, 먹을 것이 떨어지자 채순이 뽕나무 열매인 오디를 따서 검은 것과 붉은 것을 각각 다른 그릇에 담았다. 마침 지나가던 도둑이 그 까닭을 물었다. 채순이 말하기를

"잘 익은 검은 것은 어머님께 드리고 설 익은 붉은 것은 내가 먹을 것이다."
했더니, 도둑이 감복하여 쌀 세 말을 주었다. 그러나 채순은 받지 않았다.

우물 두레박틀이 썩었으나, 어머니가 태어나기 전부터 있던 오래 된 것이라 채순이 감히 고치지 못하였는데, 등나무가 나서 감겨 튼튼하게 되었다.

어머니가 죽고 아직 장사지내기 전에 마을에 불이 나서 불길이 타들어오는데, 채순이 어머니 관을 안고 하늘에 호소하니, 불길이 다른 집으로 가 버렸다. 그 후 장사를 마치고 여묘살이를 하는데, 아침에 신령한 물고기가 내려와서 무덤 앞에 놓고 제사하였다.

어머니가 살아계실 적에 천둥 소리를 두려워하였으므로, 우레가 칠 때마다 채순은 무덤을 돌면서 울며 말하기를,

"순이 여기 있습니다."

했다. 그러자 고을 태수가 감동하여 우레가 치는 날이면 수레와 말을 내어 무덤에 보내 주었다.

효성으로 목숨을 건진 오이

중국 송나라 임천에 오이라는 효성이 깊은 젊은이가 살고 있었다.

어느 날 꿈에 신령님이 나타나 말했다.

"그대는 내일 낮에 벼락을 맞아 죽을 것이다."

오이는 신령님의 옷자락을 붙잡고 울면서 사정했다.

"신령님, 제가 죽으면 늙으신 어머니를 돌봐 드릴 사람이 없습니다. 제발 살려 주십시오."

"사람의 목숨이란 하늘의 뜻에 달린 것이니, 누구도 정해진 수명을 바꿀 수는 없느니라."

신령님은 이 말을 남기고는 사라져 버렸다.

오이는 어머니에게 꿈 이야기를 하면 놀라실까 봐 말하지 않고, 다음

날 일찍 일어나 아침밥을 차려서 어머니께 올렸다.

"어머니, 저는 오늘 낮 밖에 볼일이 있으니 누이 집에 잠시 가 계십시오."

오이가 이렇게 말했으나 어머니는 허락하지 않았다.

그런데 갑자기 하늘과 땅이 캄캄해지면서 천둥 번개가 몰아쳤다. 오이는 어머니가 놀라실까 서둘러 방문을 꼭 닫았다. 그런데 그 순간 꿈에 나타났던 신령의 말이 생각났다. 그래서 밖으로 나가 벌판 한가운데서서 벼락이 치기를 기다렸다.

얼마 후에 그렇게도 사납던 천둥 번개가 멈추고 구름이 걷히면서 하늘이 다시 밝아졌다. 다행히도 오이는 벼락에 맞지 않고 무사히 집으로 돌아왔다. 또한 어머니에게도 아무런 탈이 없었다.

그날 밤이었다.

지난밤 꿈에 보았던 신령이 다시 나타나 오이에게 말했다.

"그대의 지극한 효성이 하늘을 감동시켰느니라. 앞으로 더욱 어머니를 공경하여 받들도록 하여라."

모기를 쫓지 않은 오맹

중국 진나라의 오맹은 어릴 때부터 효성이 지극하였다. 여름철이 되면 손으로 모기를 쫓지 않았는데, 자기에게서 날아가 부모님을 무는 것을 염려했기 때문이다.

몸을 팔아 어머니를 섬긴 지은

지은은 신라 경주에 사는 연권의 외동딸로 어릴 적 아버지를 잃고,

혼자서 어머니를 봉양하느라고 나이 서른두 살이 되어도 시집을 가지 않았다. 여자의 몸으로 품팔이를 하고 구걸도 하여 음식을 바쳤으나, 날이 갈수록 어렵고 지쳐 봉양할 길이 막막했다.

하는 수 없이 부잣집에 가서 몸을 팔아 종이 되는 조건으로 쌀 10여 섬을 얻었다. 그래서 낮에는 그 집에 가서 하루 종일 일하고 저녁이 되면 돌아와 밥을 지어 어머니께 바쳤다.

이에 어머니가 말하기를,

"얘야, 전에 먹던 것은 거칠고 험하여도 달았는데, 요새 먹는 것은 좋기는 하나 속을 찌르는 듯하니, 무슨 까닭이냐?"

하므로 딸이 사실대로 고하니, 어머니가 말하기를,

"네가 남의 집 종이 되다니! 차라리 내가 죽는 편이 낫다."

하고는 크게 소리쳐 울고, 지은도 울었다.

이 때 그 곳을 지나던 화랑 효종랑이 그것을 들었다. 효종랑은 자신의 집으로 가서 부모에게 청하여 곡식 백 섬을 지은 모녀에게 보내고 옷도 주었다. 이 소문이 퍼지자 효종랑을 따르던 수많은 사람들이 다투어 곡식을 내었다. 임금 역시 이 사실을 듣고서 곡식 5백 섬과 집 한 채를 내리고 세금을 면제해 주었다. 또한 병졸을 보내어 그 곡식을 지키게 했다. 그리고 그 마을 이름을 '효양'이라 하고, 당나라 황제에게도 글을 올려 아름다운 효행을 알렸다.

거울을 신표로 삼은 설씨녀

신라의 밤골에 사는 설씨녀는 농민의 딸인데, 늙은 아버지가 수자리(국경을 지키는 일)를 살러 가게 되었다.

설씨녀가 아버지의 연로하심을 많이 걱정하자 이웃에 사는 가실이라는 총각이 자기가 대신 수자리를 살러 가겠다고 했다. 이에 설씨녀의 아버지가 크게 감격하여 말했다.

"내 딸을 그대의 아내로 삼아 주게."

사실 가실은 오래 전부터 설씨녀를 사모해 왔었다.

혼인식은 가실이 수자리를 살고 돌아온 다음에 하기로 약속하고, 두 사람은 거울을 반으로 쪼개 서로 신표로 나눠 가졌다. 또한 가실은 길을 떠나면서 설씨녀에게 말을 맡겨 두었다.

그러나 3년 안에 돌아온다던 가실은 6년이 지나도 돌아오지 않았다.

"당초 3년을 기약하고 떠난 사람이 아직까지 오지 않으니 무슨 일이 생긴 것에 틀림없다. 너는 다른 곳으로 시집을 가거라."

아버지는 딸이 혼기를 놓칠까 걱정하여 설씨녀가 싫다는데도 불구하고 마을 총각과 정혼을 시키고 말았다.

설씨녀는 마구간으로 가서 가실이 두고 간 말을 쓰다듬으며 한없이 눈물을 흘렸다.

그 때 몸이 바싹 야위고 남루한 옷차림을 한 젊은이가 설씨녀에게 다가왔다. 설씨녀가 누구인지를 알아보지 못해 어리둥절해하고 있는데, 젊은이가 품에서 쪼개진 거울 조각을 꺼내어 내밀었다. 설씨녀도 자기 품에서 거울 조각을 꺼내 맞춰 보고는 기쁨의 눈물을 흘렸다.

이로써 가실과 설씨녀는 좋은 날을 잡아 혼례식을 올릴 수 있었다.

넓적다리를 베어 낸 상덕

통일신라 시대 옛 백제 땅에 상덕이라는 젊은이가 살고 있었는데, 일찍이 효자로 소문이 자자하였다.

경덕왕 때 나라에 큰 흉년이 들어 상덕의 부모는 굶주린데다 병까지

얻었다. 특히 어머니는 온몸에 종기까지 나서 죽음 직전에 놓여 있었다.

상덕은 밤낮으로 부모님을 간호하였다. 하지만 부모님을 공양할 양식이 없었다. 그래서 자신의 넓적다리 살을 베어 끓여 먹이는 한편, 어머니의 곪은 종기를 입으로 빨아 내었다. 그러자 어머니의 병이 씻은 듯이 나았다.

고을의 원님이 이 사실을 왕에게 알리자 왕은 상덕에게 벼 3백 섬을 내리는 한편 집과 약간의 땅을 마련해 주었다. 또한 고을 관아에 명하여 이 일을 자세히 적어 비석을 세우도록 했다.

호랑이를 잡은 누백

고려 시대 수원의 아전 최상저에게 누백이라는 아들이 있었다.

어느 날 최상저가 사냥을 나갔다가 호랑이에게 물려 죽었다.

열다섯 살의 누백은 호랑이가 아버지를 물고 갔다는 소리를 듣고는 호랑이를 잡을 채비를 갖추어 집을 나섰다. 하지만 어머니가 버선발로 쫓아 나와 말렸다.

그러나 누백은 어머니의 손을 꼭 잡은 채 반드시 아버지의 원수를 갚고 돌아오겠노라는 말로 어머니를 안심시켰다.

누백은 날을 세운 도끼를 들고 산으로 갔다.

호랑이를 찾아 온 산을 헤매다 드디어 호랑이의 발자국을 발견하였다. 발자국을 따라가 보았더니, 커다란 호랑이 한 마리가 아버지를 잡아먹은 후 배가 불러서 풀숲에 누워 자고 있었다.

누백은 큰 소리로 호랑이를 꾸짖었다.

"네 이놈! 아무리 어리석은 미물이기로 어찌 죄없는 우리 아버지를 해친단 말이냐! 내 너의 고기를 씹어 아버지의 원수를 갚을 것이다."

하지만 호랑이는 잠에 취해서 꼬리를 한 번 들어올리더니 그대로 눈을 감아 버렸다.

누백이 호랑이의 머리를 향해 있는 힘껏 도끼를 내리치자 호랑이는 단번에 숨을 거두었다.

누백은 호랑이의 배를 갈라 아버지의 뼈와 살을 골라 내어 홍법산 서쪽 기슭에 모셨다. 그리고 호랑이의 시체는 큰 독에 넣어서 상하지 않도록 냇가의 모래 속에 묻어 두었다.

누백은 아버지의 무덤 곁에 초막을 짓고 살면서 살아 계실 때처럼 깍듯이 예를 다했다.

그러던 어느 날이었다. 누백이 잠깐 선잠이 들었는데, 아버지가 꿈속에 나타나 다음과 같은 글을 읊고는 사라졌다.

덤불을 헤집고 효성스런 아들의 초막에 이르니,
가슴속에 정이 일어 눈물이 흐르네.
흙짐을 져다가 날마다 무덤을 매만지니,
갸륵한 뜻은 오직 밝은 달과 바람만이 아는구나.
살아서 알뜰히 받들고 죽어서도 지성으로 지켜 주니,
누가 효도에 시작과 끝이 있다고 하겠는가.

아버지의 3년상을 치르고 집에 돌아온 누백은 독에 묻어 두었던 호랑이의 고기를 꺼내 씹으며 아버지의 원한을 달랬다.

충 신 편

하나라의 마지막 충신 용봉

중국 하나라의 마지막 임금 걸이 연못을 파서 그 가운데 정자를 짓고 기생들과 어울려 놀기에만 전념하고 정사는 돌보지 않았다. 이것을 보다 못한 충신 관용봉이 임금 앞으로 나가 아뢰었다.

"임금은 겸양하고 공손하며, 공경스럽고 미더우며, 돈을 아끼고 백성을 사랑해야 합니다. 그렇게 해야만이 천하가 편안하고 사직과 종묘가 튼튼할진대, 이제 임금이 재물을 물 쓰듯 하고, 사람 목숨을 파리 목숨만도 못하게 여기니 백성들이 두려워하고 있습니다. 민심은 이미 떠났고 하늘이 돕지 않는데, 어찌하여 조금도 마음을 고치지 아니하시나이까?"

이에 임금이 크게 노하여 소리쳤다.

"네 이놈, 감히 어디라고 그 따위 주둥이를 놀리느냐? 어서 썩 물러가지 못할까?"

하지만 용봉이 가지 아니하니 그 자리에서 칼로 내리쳐 죽였다.

산속에서 굶어 죽은 백이와 숙제

주나라 무왕이 상나라(은나라)를 치려 하자, 상나라 고죽군의 두 아들

백이와 숙제가 무왕의 앞을 막아 서서 말렸다. 그러자 무왕의 부하가 그들을 칼로 찌르려 하였다.

그 때 옆에 있던 강태공이 부하를 말렸다.

"이들은 의로운 사람들이니 살려 주시오."

그 후 무왕이 상나라를 평정하여 천하가 주나라의 손에 들어갔다. 이에 백이와 숙제는 의리상 주나라의 곡식을 먹을 수 없다 하여 수양산에 숨어서 고사리를 꺾어 먹다가 굶어 죽었다.

제갈공명의 충성

중국 한나라의 제갈양의 자는 공명이다. 제갈양은 정치에는 관심이 없이 남양 땅에 묻혀 농사를 지으며 살고 있었다. 어느 날 한 신하가,

"제갈공명은 와룡입니다."

했다. 유비가 세 번이나 찾아가서야 만나 보았고, 유비가 촉나라의 황제의 자리에 오르게 되어서는 제갈공명을 승상으로 삼았다.

유비가 병이 위독하여 죽음에 이르렀다. 그래서 제갈공명에게 부탁하기를

"그대의 재주가 조비(조조의 아들)보다 10배나 나으오. 반드시 나라를 편히 할 것이니 마침내 천하를 평정하시오."

하니 제갈공명이 울면서 말하기를,

"신이 어찌 팔다리의 힘을 다하고 충성된 절의를 바쳐서 죽음으로써 이어 가지 아니하겠습니까!"

했다.

유비의 아들 유선이 왕위를 이으니, 이것이 곧 촉나라의 후주이다. 후주 건흥 5년(227년)에 제갈공명이 대군을 거느리고 나가서 한중에 주둔

하여 중원을 도모하였다. 또 건흥 12년(234년) 봄에 10만 대군을 일으켜 사곡을 경유하여 위나라를 쳤는데, 나무로 소와 말의 형상을 만든 운반기구로 쌀을 운반하여 오장원을 차지하고 사마의와 위남에서 대치하여 서로 백여 일을 버티었다. 그 해 8월에 제갈공명이 병들어 죽으니, 시호를 '충무'라 하였다.

염흥 원년(263년)에 위나라의 등애가 침략해 들어오자, 제갈공명의 아들 제갈첨이 장군으로서 군사를 독려하여 위군을 막았다.

등애가 글을 보내어 제갈첨을 유혹하였다.

"항복하면 그대 고향의 제후 자리를 주겠다."

그러나 제갈첨은 그 사자를 베어 죽이고 진을 벌여서 기다렸는데, 등애가 크게 무찌르고 제갈첨을 베어 죽였다.

제갈첨의 아들 상이 말하기를,

"부자가 나라의 은혜를 입었는데, 황호를 일찍 베지 못하여 나라가 패하고 백성이 죽게 되었으니, 살아서 무엇을 하겠는가."

하며 말을 채찍질하여 싸움터에 나가 싸우다 죽었다.

강물에 빠져 죽은 왕품

중국 송나라 흠종 원년(1126년)에 왕품이 선무사 통제가 되어 태원성을 지켰는데, 그 동안 태원이 무사할 수 있었던 것은 왕품의 공이 컸다. 그런데 성이 함락되자 왕품이 지친 군사를 이끌고 서문으로 나가려 하였으나, 곧 서문 삽판의 새끼가 끊어져서 나가지 못하였다. 적군이 이미 성에 들어와, 당황하는 사이에 군사들이 왕품에게 항복하기를 권하니 왕품이 탄식하며 말하기를,

"성이 함락되어 군사가 싸울 뜻이 없고 또 문이 막혔으니, 하늘이 왕

품을 망하게 하는 것이다. 왕품이 어찌 죽음을 아껴서 천명을 어기고 조정을 저버리겠는가."

하며 원묘에 모신 태종의 화상을 지고 강물에 빠져 죽었다. 그러자 전운사 한총을 비롯해 따라 죽은 사람이 서른여섯이었다. 성이 포위된 260일 동안 성 안의 군사와 백성이 굶어 죽은 자가 대부분이었으나 굳게 지키고 항복하지 않았는데, 이 때에 비로소 함락되었다.

떳떳하게 죽은 이약수

중국 송나라 휘종 2년(1127년)에 휘종이 포로의 몸으로 금나라 진영에 이르니, 금나라 사람들이 황제를 핍박하여 금나라 의복으로 바꾸어 입히려 하였다. 이 때 곁에 있던 이부시랑 이약수가 안아 붙들고 통곡하면서 금나라 사람을 개라고 꾸짖었다. 금나라 사람이 이약수를 끌어내어 치니, 얼굴이 깨어지고 땅에 넘어져 기절하였다.

이에 금나라 장수 점몰갈이 말하기를,

"이약수는 의리가 있는 사람이니 죽이지 말라."

했다.

겨우 목숨을 건진 이약수는 음식을 끊고 먹지 않았다. 어떤 이가 애써 권하며 말하기를,

"지금 잠시 숙이고 순종하면 다음에는 부귀가 올 것이다."

하니, 이약수가 탄식하며 말하기를,

"하늘에는 두 해가 없는데, 약수에게 어찌 두 임금이 있겠는가!"

했다.

이번에는 이약수의 종까지도 울면서 그에게 굴복할 것을 간청했다.

"주인님의 부친이 나이가 많으신데, 조금 굽히면 한번 돌아가서 뵙기

를 바랄 수 있을 것입니다."

하니, 이약수가 꾸짖기를,

"충신은 임금을 섬기면 죽더라도 두 마음이 없는 법이니, 나는 다시 집을 돌아보지 아니할 것이다. 그러나 우리 어버이께서 늙으셨으니, 너는 돌아가서 급히 말하지 말고, 시간이 지난 다음 형제들을 통하여 내 죽음을 조용히 알리도록 하거라."

했다.

열흘 뒤에 금나라 장수 점몰갈이 불러서 항복할 것을 권유하였다. 하지만 이약수가 그 말에 따라 낱낱이 금나라의 잘못을 들어 꾸짖고, 점몰갈을 비롯한 장수들의 잘못도 들어 공격하였다. 점몰갈이 끌어 가게 하자, 이약수가 돌아보면서 꾸짖기를 더욱 심하게 하였다. 참다 못한 장수 하나가 그의 입을 찢어 놓았으나 피를 뿜으면서 극심하게 꾸짖으니, 칼날로 목을 찢고 혀를 끊어서 죽였다.

박제상의 충렬

박제상은 신라의 시조 박혁거세의 자손으로 벼슬이 삼량주간에 올라 있었다.

신라 18대 임금 실성왕은 내물왕이 죽고 왕자가 아직 어리므로 왕에 추대되어 즉위했다. 그는 내물왕의 아들 미사흔을 왜국에 볼모로 보내는 한편 미사흔의 형인 복호까지 고구려에 볼모로 보냈다. 결국 실성왕은 내물왕의 아들 눌지까지 죽이려다가 오히려 눌지에 의해 죽었다.

임금의 자리에 오른 눌지왕은 미사흔과 복호가 그리워 눈물이 마를 날이 없었다.

눌지왕은 왜국과 고구려에 사람을 보내 그들 나라의 왕을 설득하여 동생들을 구해 오고자 했다. 이 때 박제상이 가기를 자청해 나섰다.

박제상은 먼저 고구려에 들어갔다.

장수왕을 만난 박제상은 갖은 노력 끝에 장수왕을 설득하는 데 성공하여 왕제 복호를 데리고 신라로 돌아왔다.

눌지왕은 박제상의 손을 꼬옥 잡으며 말했다.

"정말 수고가 많았소. 이제 복호가 돌아왔으니 잃었던 한쪽 팔을 찾은 셈이오. 그러나 나머지 한쪽 팔이 아직도 돌아오지 않았으니 이 슬픔을 어찌한단 말이오."

이에 박제상이,

"신이 미력하나마 왜국에 가서 기어코 왕제를 모시고 오겠습니다."

하며 국왕에게 하직을 하고 나와, 집에도 들르지 않고 곧바로 바다를 건너갔다.

박제상은 왜국에 당도하여 왜왕을 만나 이렇게 말했다.

"신라의 왕이 까닭없이 나의 아버지와 형을 죽였습니다. 아마도 우리 집안이 신라의 왕족 출신이어서 그런 것 같습니다. 그래서 목숨을 지키기 위해 이 나라에 망명해 왔습니다."

왜왕은 처음에는 믿으려 하지 않았지만, 박제상의 능란한 말솜씨 때문에 결국 그를 믿게 되었다.

박제상은 감시 속에 있는 미사흔에게 자연스럽게 접근하여 그와 더불어 바다에 나가 고기도 잡고 산에 올라가 사냥도 하였다.

바닷가에 안개가 자욱이 낀 어느 날이었다.

박제상은 배를 몰고 바다로 나가, 미사흔에게 그 길로 곧바로 본국으로 배를 저어 나가라고 말했다. 미사흔은 눈물을 글썽이며 말했다.

"제가 어떻게 아버지 같은 분을 남겨 두고 혼자 가겠습니까? 제발 함께 가십시다."

박제상은 물에 내려 미사흔이 탄 배를 힘껏 떠밀어 주면서 말했다.

"제발 어서 떠나십시오. 이 늙은이가 함께 간다면 일은 낭패를 보고 말 것입니다."

배가 멀리 떠나자 박제상은 왜병에게 사실대로 말했다.

보고를 받은 왜왕은 불같이 노해 박제상을 잡아다가 직접 신문했다.

"너는 무슨 까닭으로 신라의 왕자를 몰래 빼돌렸느냐?"

"나는 신라의 신하다. 신하 된 자가 왕제를 만나 보고 싶어하는 국왕의 간절한 소망을 이루어 드렸을 뿐이다."

"너는 내 나라에 망명하여 와, 나의 신하 되기를 자청하지 않았더냐? 다시 한 번 신라의 신하라는 말을 하면 너는 살아남지 못하리라."

그러나 박제상은 눈썹 하나 까딱하지 않고 말했다.

"나는 죽어도 신라의 신하다."

왜왕은 박제상의 발바닥을 벗기게 한 다음, 갈대를 베어다가 땅바닥에 깔고 송곳 같은 그 갈대 위를 걸어가게 했다.

그리고 다시 물었다.

"너는 어느 나라 신하냐?"

"신라의 신하다."

왜왕은 다시 시뻘겋게 달군 쇠를 늘어놓고 박제상을 그 위에 세워 놓았다. 살 타는 냄새가 대궐 가득히 퍼졌다.

왜왕은 다시 소리쳐 물었다.

"네 진정 어느 나라 신하냐?"

"오직 신라의 신하로다."

왜왕은 그가 끝내 굴복하지 않자 결국에는 불에 태워 죽이고 말았다.

한편 신라에 남아 있던 박제상의 아내는 매일 바닷가에 나가 남편이 돌아오기를 기다렸다. 하지만 남편이 죽었다는 소식을 듣고는 치술령

높은 고개에 올라가 멀리 왜국 땅을 바라보며 통곡하다가 죽고 말았다.

옥에서 죽은 성충

백제 의자왕 때의 일이다. 임금이 날마다 술상을 벌이고 궁녀들과 더불어 음탕하게 놀아나며 나랏일을 돌보지 않았다.

이를 보다 못한 성충이 임금께 나아가 간곡하게 말렸다. 그러나 왕은 불같이 노하여 즉시 성충을 감옥에 집어넣고 말았다.

이렇게 되자 다시는 아무도 임금의 잘못을 간하지 못했다.

옥에 갇힌 성충은 물 한 모금도 마시지 않았다. 그러자 몸이 쇠약해져 더 이상 살 기력이 없게 되었다. 성충은 죽음이 다가오는 것을 느끼고 임금께 글을 올렸다.

'충신은 죽으면서도 임금을 잊지 않는 법입니다. 이제 신은 마지막으로 한 말씀 올리고 죽겠습니다. 신이 이 나라의 장래를 살피건대, 머지않아 반드시 전쟁이 일어날 것입니다. 싸움이 시작되어 군사를 움직일 때에는 지형을 가려서 쓰시되 반드시 상류에서 적을 맞아 싸우도록 하십시오. 또한 적병이 쳐들어오거든 육군은 침현 고개를 넘어가지 말 것이며, 수군은 기벌포에 들어가지 말도록 해야 할 것입니다. 그리하여 그 좁고 험한 곳을 의지하고 지켜야 능히 적병을 막아 낼수 있을 것입니다.'

그러나 의자왕은 성충의 상소를 거들떠보지도 않았다.

성충은 얼마 뒤에 옥에서 숨졌다.

의자왕 20년(660년)에 당나라 소정방이 13만의 나당(신라와 당나라) 연합군을 이끌고 물밀듯 백제를 공격해 왔다. 연합군은 백강, 탄현을 지나 황산벌로 쳐들어왔다.

의자왕은 도저히 당해 내지 못할 것을 깨닫고 탄식했다.

"내 성충의 말을 듣지 않아 오늘을 자초했구나."

나당 연합군이 부여성을 에워싸고 공격하자 궁녀들이 대왕포 바위로 달려 나가 다투어 강물로 떨어져 죽었다. 뒷사람들이 그 바위를 가리켜 낙화암이라 불렀다.

드디어 의자왕이 왕세자 효를 비롯하여 조정 대신을 거느리고 소정방 앞에 나가 항복을 했다.

소정방은 궁궐에 들어와 승리를 자축하는 술자리를 베풀었다. 이 자리에서 소정방이 의자왕을 시켜 여러 장수에게 술잔을 돌리게 하자 백제의 신하들이 고개를 떨구고 눈물을 흘렸다. 소정방이 의자왕을 비롯하여 백성 2만 2천8백 명을 당나라로 데리고 가자 결국 백제는 망하고 말았다.

이존오의 용기

고려 31대 공민왕은 말년에 중 신돈에게 정사를 내맡기다시피하여 온 나라가 신돈의 손아귀에서 놀아났다.

이를 보다 못해 청주 출신의 사의 정추와 경주 출신의 정언 이존오가 임금께 간(임금에게 옳지 못한 일을 고치도록 말함)했다.

"지금 우리 나라는 신돈이 국정을 제 마음대로 하고 임금을 공경하지 않고 있습니다. 어찌 신하 된 자가 가마를 탄 채 궐 안을 드나들며, 전하와 의자를 마주 대놓고 앉을 수 있단 말씀입니까? 이런 일은 저 무례하기 짝이 없었던 최항이나 임연도 차마 그렇게까지는 못 하였던 것입니다."

임금은 불같이 노하여 두 사람을 꾸짖었다.

이 때 신돈은 탁자를 사이에 두고 왕과 함께 의자에 마주 앉아 있었다. 이존오는 그런 꼴을 보자 더 이상 참을 수 없어 신돈을 쏘아보며 꾸짖으니 신돈은 자신도 모르게 황망히 의자에서 내려앉았다.

신돈을 총애하던 임금은 더욱 화가 치밀었다.

발을 동동 구르며 즉시 대신 이색과 이춘부를 불러들여 명했다.

"이자들의 뒤에 필시 조종하는 자가 있을 것이다. 철저히 다스려 그 배후를 캐내도록 하라!"

그러자 꿇어앉아 있던 정추가 고개를 들어 말했다.

"어찌 소신들이 남의 꾐에 빠져서 일을 저지르겠습니까?"

한편 신돈은 이존오에게 남모르게 사람을 보내 이렇게 전했다.

'그대가 이번 일은 경복흥과 원송수가 뒤에서 시킨 일이라고 자백하기만 한다면, 그대의 앞날을 보증하리다.'

그러자 이존오는 정색을 하고 말했다.

"나의 직책은 임금의 잘못을 일깨우는 간관이다. 나라의 장래를 걱정하는 자리에 어찌 역적 같은 자의 꾐을 받는단 말이냐!"

이 말을 전해 들은 신돈은 기어이 이존오를 죽이겠다고 결심하였다.

이것을 미리 알아챈 이색이 이춘부에게 말하였다.

"우리 나라가 건국한 이래 아직 간관을 죽인 일은 없소이다. 간관을 함부로 죽인다면 누가 나라의 기강을 바로잡는단 말이오? 만약 그렇게 되면 조정에서 최고의 벼슬을 하고 있는 귀공의 명예는 하루아침에 흐려질 것입니다."

이춘부는 신돈을 좋은 말로 설득하여 겨우 이존오의 사형을 면하게 한 다음 멀리 귀양을 보냈다.

이존오는 멀고 험한 귀양지에서 병에 걸려 매우 위독하게 되었다. 그는 자기의 병세가 심상치 않은 것을 깨닫고, 곁에서 시중을 드는 사람에게 몸을 일으켜 달랜 다음, 허리를 꼿꼿이 펴며 말했다.

"신돈이란 놈이 아직도 살아 있느냐? 그놈이 죽어야 내가 눈을 감을 수 있는데……."

그는 이 말을 마지막으로 자리에 누워 다시는 일어나지 못했다.

고려의 마지막 충신 정몽주

정몽주는 고려 말에 문하시중으로 있었다.

요동 정벌을 명령받은 이성계가 왕명을 거역하고 압록강 위화도에서 군사를 돌려 반기를 들었다. 물밀듯 개성으로 쳐내려오자 최영은 당해 내지 못하고 체포되어 얼마 있다 죽고 말았다.

이성계는 우왕을 폐위시킨 다음, 왕자 창을 세워 제33대 임금으로 삼았다. 그 뒤 창왕도 폐하고 정창군을 세워 제34대 공양왕이 되게 했다. 조준, 정도전, 남은 등은 결속하여 고려 왕조를 뒤엎고 이성계를 받들어 새 왕조를 일으켜 세우고자 했다. 이 때 정몽주는 대간으로 하여금 이들을 탄핵하게 하여 멀리 귀양보내려고 했다.

그러나 이성계의 여덟째 아들 방석과 사위 이제 등이 이것을 미리 알고 이성계에게 가서 알렸다.

"그렇게 되면 우리가 위험하게 됩니다. 미리 손을 써야 합니다."

그러나 이성계는 태연하게 말했다.

"사람은 타고난 운명대로 산다. 우리는 이 운명에 따를 수밖에 없다."

그러나 이성계의 앞을 물러나온 방석과 이제는 이방원에게 가서 자초지종을 알렸다.

이방원은 심복 조영규를 불러서 말했다.

"우리 이씨가 지금 고려 왕실에 지대한 공을 세우고 있는데, 정몽주가 중심이 되어 우리를 헐뜯으려 하고 있다. 그대가 이런 때 힘을 발휘해 봄이 어떠하겠는가?"

"제가 어찌 목숨을 아끼겠습니까? 명을 받들어 화근을 뿌리뽑겠습니다."

조영규는 무리를 끌고 나가 선죽교 부근에서 퇴궐하는 정몽주를 습격하여 철퇴로 쳐서 죽이고 말았다. 이 소식을 전해 들은 이성계는 크게 노하여 화병이 나서 자리에 눕고 말았다.

조준과 정도전, 남은 등은 천명과 인심이 이성계에게 돌아가고 있음을 이유로 들어 이성계를 추대하여 왕위에 오르게 했다.

그 뒤 조선 왕조 3대 임금으로 즉위한 이방원은 고려 왕조에 대한 정몽주의 충성을 높이 기려 문충공이라는 시호를 내렸다.

열 녀 편

태임의 태교

주나라 문왕의 어머니인 태임은 지임씨의 가운데 딸로 왕계와 결혼하여 비가 되었다. 성품이 단정하고 순일하며, 성실하고 엄숙하여 오직 덕대로만 행하였다.

아이를 잉태한 후로는 눈으로 나쁜 것을 보지 않고, 귀로 음란한 소리를 듣지 않으며, 입으로 거친 말을 내뱉지 않았다. 그래서 낳은 아들이 문왕인데, 총명하고 영리하여 하나를 가르치면 백을 알았으므로, 군자가 논평하기를, 태임이 태교를 잘 하였기 때문이라 하였다.

옛날에는 부인이 아이를 가지면 몸을 기울여 자지 않으며, 가장자리에 앉지 않으며, 비뚤게 서지 않으며, 자극성 있는 음식을 먹지 않으며, 자리가 바르지 않으면 앉지 않고, 눈으로 나쁜 것을 보지 않고, 귀로 음란한 소리를 듣지 않으며, 밤에는 소경더러 시를 외우고 정당한 일을 말하게 했다. 이렇게 하여 아이를 낳으면 용모가 준수하고 재주가 남보다 뛰어나다고 했다.

그래서 아이를 임신하였을 때에는 반드시 행동을 삼가야 한다. 엄마가 선하게 행동하면 아이도 선하게 되고, 엄마가 악행을 하면 아이도 악하게 되는 것이다. 사람이 태어나 만물을 닮는 까닭은, 모두 그 어머니가 만물과 접하였기 때문에 목소리와 모습이 닮게 되는 것이다. 문왕의 어머니는 닮는 이치를 알았다고 하겠다.

가마를 사양한 반첩여

반첩여는 반황의 딸로, 한나라 성제의 첩여이다. 성제가 후원에서 구경하다가 반첩여에게 임금이 타는 가마인 연을 같이 타자고 하니, 사양하며 말했다.

"예전 그림을 보니, 어질고 성스러운 임금은 모두 명신이 곁에 있었고, 마지막 임금은 총애하는 여자가 곁에 있었습니다. 지금 연을 함께 타려 하심이 그와 같지 않겠습니까?"

임금은 그 말을 옳게 여기어 그만두었다.

반첩여는 임금을 나아가 뵐 때에는 언제나 소를 올리어 고례를 본받도록 아뢰었다. 그 뒤에 조비연 자매가 임금의 특별한 총애를 받았는데, 교만하고 질투가 많아 반첩여를 참소하였다.

"반첩여가 간사한 마음을 품고 임금을 저주합니다."

그래서 임금이 첩여를 잡아들여 고문하였다. 첩여가 대답하기를,

"제가 듣건대, 죽고 사는 것은 하늘의 명에 달려 있고 부유하고 귀한 것 또한 하늘에 달려 있다 합니다. 평생을 바르게 살아도 오히려 복받지 못할 것인데, 간사한 욕심을 부려서 어떻게 복을 바라겠습니까? 또 귀신이 아는 것이 있다면 임금을 저주하는 자의 호소를 받지 않을 것이고, 아는 것이 없다면 호소한들 무슨 소용이 있겠습니까. 그러므로 저주 따위는 하지 않습니다."

임금이 그 대답을 옳게 여기고 어여삐 여겨, 황금 백 근을 주었다.

반첩여는 또다시 위태로운 일을 당할까 두려워하여 임금 곁을 떠나

황 태후를 모실 것을 청하니, 임금이 허락하였다.

코를 베어 버린 고행

중국 춘추 시대 양나라에 고행이라는 과부가 살고 있었다. 남편이 죽고 일찍 과부가 되었지만 절개를 지켜 다시 시집가지 않았다. 그녀의 현숙한 태도와 빼어난 미모에 반하여 여러 남자가 구원을 하였으나 잘 되지 않았다. 양나라 왕이 듣고 신하를 시켜 예물을 갖춰 맞이하도록 하였다. 이에 고행이 말하기를,

"제가 듣기로, 여자는 한번 시집가면 한 남편만 섬기고 절개를 온전히 지켜야 한다고 했습니다. 죽음을 잊고 삶을 따른다면 이는 불신이요, 귀하게 되어 천한 것을 잊는다면 이는 부정이요, 의리를 버리고 이익을 따르면 사람 노릇을 못 하는 것입니다."

하고는 거울을 들고 칼을 잡아 자신의 코를 베어 버렸다.

"저는 이제 자형을 하였습니다. 제가 차마 죽지 못하는 것은 어린 자식이 고아가 되게 할 수 없기 때문입니다. 전하께서 첩에게 바라는 것은 오직 이 얼굴 하나뿐인데, 이제 얼굴이 이 모양이 되었으니, 저를 놓아 주실 수 있을 것입니다."

이에 왕이 그 의리를 훌륭하게 여기고 그 행실을 높이 여겨, 그 몸을 용서해 주고 이름을 높여 고행이라 했다.

풀을 먹은 도미의 아내

백제 개루왕 때의 일이다. 도미의 아내는 아름답고 또한 행실이 올바랐다.

개루왕이 소문을 듣고 도미에게 말하였다.

"부인이란 정절이 있더라도 그윽하고 어두운 곳에서 교묘한 말로 꾀면 마음이 움직일 것이다."

"신의 아내는 죽는 일이 있어도 두 마음이 없을 것입니다."

도미가 확신에 찬 어조로 말하였다.

임금이 도미의 아내를 시험하고자 하여, 어떤 일을 핑계대며 도미를 대궐 안에 머물러 있게 하였다. 그리고 가까운 신하를 시켜 자신의 옷을 입힌 다음, 밤에 도미의 집으로 가게 하였다.

신하가 그 아내에게 이르기를,

"내가 너의 아름다움을 듣고 도미와 내기하여 너를 얻었으니, 내일 너를 들이어 궁인으로 삼겠다."

하고 음행을 하려 하였다. 이에 부인이 말하기를,

"임금은 망령된 말이 없는 법이니 제가 어찌 순종하지 않겠습니까? 대왕께서 먼저 방에 드시면 제가 옷을 갈아입고 나아가겠습니다."

하고서 물러나와 한 종을 단장시켜 들여보냈다.

뒤에 속은 것을 알게 된 임금은 매우 노하여, 도미에게 엉뚱한 죄를 뒤집어씌워 두 눈을 뽑고 배에 태워 강물에 띄워 버렸다. 그리고 드디어 그 아내를 끌어다가 억지로 간음하려 하였다. 그러자 도미의 아내가 말하였다.

"이제 지아비를 잃고 혼자 몸으로 어찌 세상을 살아가겠습니까? 더구나 임금님의 명을 어찌 감히 어기겠습니까. 지금은 제 몸이 깨끗하지 않으니 며칠 뒤에 모시겠습니다."

임금은 그 말을 믿고 허락하였다.

도미의 아내는 궁중을 빠져나와 강어귀에 이르렀으나, 건널 수 없으므로 하늘에 대고 통곡하는데, 문득 빈 배가 한 척 오는 것이 보였다.

도미의 아내는 그 배를 타고 천성도에 가서 지아비를 만났는데, 아직 죽지 않고 살아 있었다. 그녀는 풀뿌리를 캐어 가면서 남편을 돌보다가, 함께 고구려에 가서 살다가 죽었다.

적을 꾸짖은 최씨

고려조의 열부 최씨는 영암 사는 최인우의 딸이다. 진주의 정만에게 시집가서 네 자녀를 낳았는데, 막내는 갓난아이였다. 그 때 왜적이 진주에 쳐들어오니, 온 경내가 도망하는데, 이 때 정만은 일로 인하여 서울에 갔었다. 왜적이 마을로 마구 들어와, 최씨는 자식들을 데리고 산속으로 피신하였다.

왜적이 온 마을을 노략질하다가 최씨를 발견하고는 겁탈하고자 칼을 뽑아 협박하였다. 이에 최씨가 저항하며 분연히 꾸짖었다.

"어차피 죽기는 마찬가지이니, 적에게 몸을 더럽히고 사는 것보다는 차라리 절개를 지키고 죽는 편이 낫다."

최씨의 꾸짖는 소리가 입에서 끊이지 않으니, 왜적이 칼로 찔러 죽인 후 위의 두 자식을 잡아갔다. 셋째 아이 습은 겨우 6세로, 어머니의 시체 옆에서 울부짖고, 갓난아이는 그래도 기어가 젖을 빨다가 젖에서 나온 피가 입으로 흘러들어가더니 조금 뒤에 죽었다.

이 사실을 도관찰사 장하가 조정에 아뢰니, 나라에서는 열녀문을 세우고, 아들 습에게 세금을 내지 않아도 좋도록 해 주었다.

강물에 빠져 죽은 열부

배씨는 경산 땅의 배중선의 딸로 이동교에게 시집을 가서 집안일을 알뜰하게 꾸려 나갔다.

고려 우왕 6년(1380년)에 왜구가 몰려와 경산을 공격했다. 성 안의 인심은 흉흉하고 온 고을이 떠들썩했지만 누구 한 사람, 적을 막아 나서는 자가 없었다. 이 때 이동교는 왜구를 막으려고 합포에 있는 군막에 가 있었기 때문에 집에 올 수가 없었다.

왜구의 떼거리가 배씨가 사는 마을에도 들이닥쳤다. 배씨는 젖먹이 아들을 품에 안고 강가로 달아났다. 왜적이 이를 보고 바짝 뒤를 쫓아 왔다. 겨우 강가에 다다랐지만 마침 강에는 비가 온 끝이라 강물이 불어나 건널 수가 없었다. 배씨는 얼결에 젖먹이를 강둑에 내려놓고는 강물로 뛰어들었다. 왜구는 활을 당겨 배씨를 겨누면서 말했다.

"네가 강가로 걸어나오면 죽이지 않으리라."

그러나 배씨는 적들을 뒤돌아보며 크게 꾸짖었다.

"어서 그 화살로 나를 쏘아 죽여라. 내 어찌 너희들에게 희롱을 당할까 보냐."

왜적은 화가 나서 활을 쏘아 배씨의 어깨를 맞혔다. 이어서 적들은 화살을 마구 날려 배씨를 맞히니 그녀는 강에 빠져 죽었다.

그 뒤에 체복사 조준이 이 사실을 자세히 적어 조정에 알리자, 나라에서는 이를 갸륵하게 여겨 그 집 앞에 열녀문을 세워 표창했다.

호랑이를 때린 김씨

김씨는 조선조 안동 사람인데, 유천계에게 시집을 갔다.

태종 원년에 유천계는 국경을 수비하러 멀리 떠나게 되었는데, 전날 밤 아내에게 말했다.

"오늘 같은 길일에 집 밖에서 자고 길을 떠나면 좋다고 하니 그렇게 하겠소."

그러자 김씨도,

"그렇다면 저도 나가 자겠습니다."

하고는 집 안으로 들어가 남편의 길 떠날 양식과 짐을 꾸렸다.

그 때 사람들이 놀라서 부르짖는 소리가 들려왔다. 종들은 몸을 떨며 밖에 나가 보려고 하지 않았다. 김씨는 몸을 떨며 밖으로 나갔다. 그런데 호랑이가 남편을 물고 저만큼 달아나고 있었다. 김씨는 급히 활을 거머쥐고 호랑이를 쫓아가며 큰 소리로 외쳤다.

호랑이가 멈칫하는 사이에 김씨는 왼손으로 남편을 붙들고 오른손으로는 활을 들어 호랑이의 머리를 내리치며 따라갔다. 그러자 육십 여 걸음쯤 가서 호랑이는 물었던 남편을 내려놓았다.

김씨가 호랑이를 크게 꾸짖었다.

"네가 지아비를 물어 놓고 이제는 나까지도 물어 가려 하느냐?"

하니 호랑이가 그대로 물러갔다.

김씨는 기절한 남편을 업고 집으로 달려와서 정성껏 돌보자 새벽녘에 겨우 깨어났다. 그날 밤, 호랑이가 다시 나타나 집 앞에서 크게 울부짖었다.

김씨는 몽둥이를 들고 대문을 열어젖히면서 큰 소리로 호랑이를 꾸짖었다.

"너는 짐승 가운데서도 영물이라고 하는데 어찌 이렇듯 몹시 구느냐!"

그러자 호랑이는 울타리 곁에 있는 큰 배나무를 물어뜯고 물러갔다. 배나무는 금세 말라 죽고 말았다.

형 제 편

스스로 욕을 먹은 허무

중국 후한 양선 땅에 허무라는 사람이 있었다. 이 때의 임금 광무제는 효성이 있고 청렴한 사람을 가려 뽑아 특별히 벼슬을 주는 제도를 만들었다. 그래서 태수 제오륜이 허무가 어질다는 소문을 듣고 조정에 추천하여 벼슬을 받게 했다.

그러나 허무는 자기의 두 동생인 허안과 허보가 아직 벼슬길에 나가 출세하지 못한 것이 마음에 걸려 한 가지 계교를 생각해 냈다.

어느 날, 두 동생을 불러 이렇게 말했다.

"예법에도 서로 나누는 의리가 있으니 우리도 이제 서로 나누어 가지도록 하자."

허무는 집안 재산을 셋으로 나눴다. 그런 가운데서 제일 좋은 집과 농사가 잘 되는 땅을 자기가 차지하고 일 잘하는 머슴도 먼저 차지했다. 대신 동생들에게는 변변치 않은 것만 돌아가게 했다.

이 소문이 온 고을에 퍼지자 사람들은 한결같이 욕심 많은 허무를 손가락질하며 욕하고, 두 동생이 그 야박한 처사를 기꺼이 받아들인 데 대해 칭찬을 아끼지 않았다.

두 동생은 양보하는 아름다운 마음씨로 인해 마침내 사람들의 추천을 받아 벼슬길에 나가게 되었다.

그 때서야 허무는 눈물을 흘리면서 사람들에게 말했다.

"내가 허씨 집안의 장남으로서 모자란 점이 한둘이 아니건만, 외람되게도 벼슬과 이름을 얻은 것은 오로지 동생들의 덕택이었습니다. 그러나 동생들은 심성이 착하고 어질어 능히 남의 모범이 되고도 남는데, 벼슬을 얻지 못했습니다. 그래서 나는 재산을 나눠 일부러 많이 차지하였습니다. 허나 이제는 내 동생들도 벼슬길에 올랐으니 더 이상 속임수가 필요 없게 되었습니다. 이제는 두 동생에게 공평하게 재산을 나누어 줄 때입니다."

사람들은 그 때서야 그의 진실된 마음을 알고 탄복하였다.

도둑을 감복시킨 형제애

한나라 행성 땅에 강굉이라는 사람이 있었다.

집안은 대대로 이름이 높았으며 강굉은 두 동생 해, 강과 더불어 효성이 지극하여 인근 고을에 모르는 사람이 없었다.

세 형제간의 사이가 어찌나 지극한지 언제나 한 이불 속에서 잤다.

나이 들어 강굉과 강해가 아내를 맞아들였으나, 형제들은 밤에도 서로 떨어져 있기가 싫어 함께 잤다. 그러나 부모님이 각자 자식을 두어 대를 이어야 한다는 분부를 받고는, 그 때서야 비로소 부인과 함께 자게 되었다.

하루는 강굉이 막내 동생 강강을 데리고 들판에 나가 일을 하다가 도적 떼를 만났다. 도적들은 이들을 둘러싸고 죽이려 했다. 그러자 형제는 서로 죽기를 자청하면서 대신 한 사람은 살려 달라고 애원했다. 강굉이 먼저 도적들에게 말했다.

"내 동생은 아직 어려 부모님의 사랑이 지극합니다. 게다가 아직 장가도 들지 않은 총각입니다. 제발 나를 죽이고 대신 동생을 살려 주시오."

그러자 동생이 앞을 가로막으며 말했다.

"당치 않은 말씀입니다. 형님은 나이도 많으신데다가 덕망이 높아 우리 집안의 보배입니다. 제발 저를 죽이고 형을 놓아 주십시오."

도둑의 우두머리는 들었던 칼을 내리고 말했다.

"두 사람은 참으로 어진 이들이오. 우리가 그대들을 해치고자 한 것이 창피하구려."

하고는 그 자리를 떠났다.

동생의 빚을 갚은 오달지

제나라 의흥 땅에 오달지라는 사람이 살고 있었다.

육촌 동생 오경백이 흉년으로 농사를 망쳐서 빚을 진데다가, 살 길이 막막하여 부부가 함께 강북 땅으로 팔려가게 되었다.

이 소식을 전해 들은 오달지는 쫓아가 이들을 만류하면서 자기의 밭 300평을 팔아 빚을 갚아 주는 한편, 자기 집으로 불러들여 재산도 나눠 주었다. 고을에서는 오달지의 어진 인품을 높이 사 주부 벼슬을 내렸다. 그러나 오달지는 한사코 그 자리를 마다하면서 형을 추천하였다.

오달지는 집안에서 대대로 일구어 먹던 밭을 동생뻘 되는 친척에게 주었다. 그러나 그 친척은 펄쩍 뛰면서 거절하였다.

"저는 그럭저럭 먹고 사는데, 형님의 땅을 받을 까닭이 없습니다."

결국 서로 받으라느니, 못 받겠다느니 하는 사이에 그 밭을 갈아 먹는 사람이 없게 되었다.

형을 대신해 죽은 수

중국 위나라 왕자 수는 선공 임금의 아들이고 태자 급의 이복동생이었다. 수에게는 어머니가 같은 삭이라는 동생이 있었다.

수의 어머니가 동생 삭과 짜고 태자인 급을 죽이려고 했다. 삭과 어머니가 임금에게 속삭여 급에게 있지도 않은 죄를 뒤집어씌웠다.

임금은 크게 노하여 태자를 제나라에 사신으로 보내는 척하면서, 미리 사람을 보내 중간에서 태자를 죽이라고 했다. 이런 사실을 알아낸 수는 급히 달려가 이복 형인 태자에게 몸을 피하라고 말했다.

그러나 태자는 태연하게 말했다.

"자식 된 도리로 어찌 아버님의 명을 거역하겠느냐. 또한 그것은 나라의 명을 거역하는 것과 같지 않겠느냐?"

그리고는 길을 떠날 채비를 서둘렀다.

그러자 수는 석별의 정을 나누자면서 형에게 술을 취하도록 먹인 다음, 자기가 대신 형의 수레를 타고 태자의 기를 꽂고 길을 떠났다.

태자를 기다리던 무사들은 수를 태자로 알고 죽였다.

한편 술에서 깨어난 태자는 말을 타고 급히 수레를 쫓아가 자기 대신 죽은 동생의 주검을 보았다.

태자가 무사들을 꾸짖었다.

"전하가 나를 죽이라고 했지, 죄없는 동생을 죽이라고 하더냐?"

그러자 무사들은 태자도 죽이고 말았다.

이것을 전해 들은 위나라 사람들은 누구나 슬퍼했다.

서로 독약을 마시겠다고 다툰 형제

진나라에 사는 왕남은 왕상의 이복동생이었지만 형제간의 우애가 누구 못지않게 돈독했다.

그런데 왕남의 어머니 주씨는 언제나 형인 상을 못살게 굴었다.

왕남이 네 살 때의 일이다.

어머니가 회초리로 형을 마구 때리자 왕남은 형을 얼싸안고 울면서 어머니를 말렸다.

왕남은 점점 자라면서 어머니가 잘못을 저지를 때마다 그 앞에 꿇어 앉아 간곡하게 말렸다.

아들의 말이 어찌나 간절했던지 어머니의 학대가 조금은 수그러졌다. 그렇지만 주씨는 번번이 왕상에게 고통스러운 일을 시키곤 하였다. 왕남은 그 때마다 쫓아나가 형의 일을 함께 거들어 주곤 하였다.

　주씨는 왕상의 아내인 며느리까지 못살게 굴었다. 그럴 때마다 왕남의 아내가 동서의 일을 거들어 주곤 하자 시어머니 주씨도 더 이상 왕상 내외를 괴롭히지 않았다.

　그렇지만 주씨는 언제나 왕상을 없애려는 생각을 품고 있었다.

　그래서 어느 날 술에 독약을 타서 왕상에게 권했다.

　이런 사실을 알아 낸 왕남은 쫓아나가 술잔을 낚아채어 자기가 마시려고 했다. 그 때서야 그 속에 독약이 들어 있는 것을 알게 된 형도 잔을 뺏어 자기가 마시려고 실랑이를 벌였다. 곁에서 이것을 보고 있던 주씨는 깜짝 놀라 술잔을 빼앗아 땅바닥에 집어던졌다.

　이 일이 있고부터 어머니가 왕상에게 차려 주는 음식은 반드시 왕남이 먼저 맛을 보고 형에게 권했다. 그 이후로 주씨는 자기가 낳은 자식을 죽일까 보아 다시는 못된 계교를 꾸미지 않았다.

아내를 내쫓은 이충

중국 한나라 진류 땅에 이충이라는 사람이 살고 있었다.

집안이 빈한하여 여섯 형제가 밖에 나갈 때는 서로 옷을 바꿔 입어야 했고, 먹을 것도 조금씩 나눠 먹어야 했다.

하루는 이충의 아내가 남편에게 속살거렸다.

"집안이 이렇게 가난하니 무슨 방도가 있어야겠습니다. 동생들을 모두 내보내고 우리끼리 따로 살도록 합시다."

이충은 속으로 크게 놀라면서 마음속으로 굳게 결심하였다. 그러고 나서 겉으로는 허락하는 체하면서 이렇게 말했다.

"그렇게 따로 살기를 원한다면 먼저 술상을 차려 놓고 동네 사람들을 청합시다. 그리고 식구들도 한 자리에 모이게 한 다음 의논하여 결정합시다."

동네 사람과 집안 식구들이 다 모이자 이충은 어머니 앞에 꿇어앉아 말했다.

"저의 집사람이 그릇되어 어머니와 아들 사이, 형과 동생 사이를 이간질합니다. 마땅히 내쫓아야 하겠기로 이렇게 동네 사람들까지 모이게 하였습니다."

말을 마친 다음 이충은 아내에게 사리를 따져 꾸짖으며 당장 나가라고 하였다. 이충의 아내는 고개를 숙인 채 문 밖으로 쫓겨 나갔다.

붕 우 편

보리를 내준 범순인

범순인은 송나라의 명신 범중엄의 아들이다.

범중엄이 수양 땅에 있을 때, 아버지가 어린 아들 범순인에게 고소 땅에 가서 추수한 보리 5백 석을 배편에 싣고 오도록 분부했다.

순인은 보리를 배에 싣고 오다가 단양에 들러 아버지의 친구 석만경을 찾아뵈었다.

순인은 예를 올린 다음 물었다.

"고향도 아닌 타관에서 어찌 이토록 오랫동안 머물러 계십니까?"

석만경이 대답했다.

"내가 이 곳에 온 지 두 달 만에 세 초상이 났다. 그러나 빈소만 마련해 두었을 뿐, 장례를 치르고 돌아가고자 하나 비용도 마련할 수 없고 또 누구 하나 의논할 사람이 없어 이러고 있다."

범순인은 서슴지 않고 배에 가득 실려 있는 보리를 몽땅 내주고 홀로 집에 돌아왔다.

아버지가 물었다.

"이번 길에 내 옛 친구 석만경을 만나보고 왔느냐?"

"찾아뵙고 왔습니다. 그런데 초상을 세 번이나 당했는데도 장사를 치르지 못해 단양에 그대로 눌러 계셨습니다."

"그런 사정이라면 너는 어찌하여 싣고 오던 보리를 내주지 않았느냐?"

아들은 웃으면서 대답했다.

"그 즉시 내주고 왔습니다."

친구를 저버리지 않은 서회

당나라 사람 서회는 어려서부터 양빙과 친하게 지냈다.

벼슬길에 올랐던 양빙은 죄를 지어 벼슬에서 쫓겨나 귀양을 가게 되었다. 이렇게 되자 양빙의 친척이나 친구들은 발길을 딱 끊었다. 하지만 오직 서회만이 그를 찾아가 술잔을 권하면서 따뜻이 위로하고 귀양길을 전송했다.

이 소식을 들은 재상 권덕여가 서회를 불러 물었다.

"그대는 죄를 지어 귀양가는 양빙을 그렇듯 후대하니 무슨 상관이 있지 아니한가?"

서회는 꿋꿋하게 말했다.

"소생은 가난한 선비로 지낼 때부터 양빙과 친하게 지냈는데, 이제 그가 죄를 지었다고 하여 어찌 오랜 정리를 저버리겠습니까? 재상께서도 혹시 언젠가 간사한 무리들의 모함으로 귀양을 가게 되면, 마땅히 친구가 찾아와 위로하지 않겠습니까?"

서회의 말에 감동한 권덕여는 조정에 나아가 서회의 아름답고도 곧은 행실을 칭찬해 마지않았다.

그 후 서회는 이이간의 추천으로 감찰어사가 되었다.

벼슬을 받은 서회가 이이간을 찾아가 추천한 까닭을 물었다. 그러자 이이간은,

"그대는 친구를 저버리지 않았으니 어찌 나라를 저버리겠소?"
하면서 껄껄 웃었다.

의원을 찾은 후가

송나라 때 사람인 후가는 화원 고을 주부 벼슬을 지냈다. 그는 어릴 적 친구 전안과 친하게 지냈다.

전안이 중병에 걸리자 그는 벼슬을 내놓고 용하다는 의원을 찾아 머나먼 길을 떠났다.

그러나 후가가 돌아오기도 전에 전안은 목숨이 다하여 죽고 말았다. 그러나 눈을 감지 못하고 있었다.

곁에 있던 사람들이 말했다.

"아마도 후가를 기다리느라고 차마 눈을 감지 못하는 모양이로군."

후가가 뒤늦게 와서 전안의 눈을 내리쓸자 비로소 눈을 감았다.

전안에게는 아들이 없는데다가 장례를 치를 만한 재산도 없었다. 후가는 자기의 옷을 파는 등 모든 수단을 동원하여 돈을 마련해서 장례를 성의껏 치러 주었다.

그래서 후가는 엄동설한 추위에 홑옷을 입고 견뎌야 했다. 이 때 어떤 사람이 후가의 딱한 모양을 보고 백금 한 덩어리를 갖다 주었다.

그 때 전안의 누이동생은 혼기가 넘도록 처녀로 어렵게 지내고 있었다. 후가는 금덩이를 처녀에게 주어 시집갈 밑천을 삼도록 했다.

어느 날 후가가 먼 여행길에서 오랜만에 집에 돌아오자, 그 부인이 살림살이의 어려움을 호소했다.

그 때 그의 친구 곽행이 허겁지겁 집 안으로 들어서며 외쳤다.

"큰일 났네. 지금 우리 아버님의 병환이 위중한데 용하다는 의원을 모셔 오려니까 엄청난 돈을 달라는 걸세. 집을 팔았는데도 모자라니 이를 어쩌나?"

후가는 괴나리봇짐을 풀어 전대 속에 있던 돈을 친구에게 몽땅 주었다. 다행히도 그 액수는 친구가 구하는 돈과 같았다.

이를 전해 들은 사람들은 저마다 칭찬을 아끼지 않았다.

죽으면서도 잊지 않은 우정

한나라 때의 일이다. 범식은 금향 땅의 선비로 태학에서 친해진 친구 장소와 잘 지냈다.

두 선비는 학업을 마치고 각각 고향으로 돌아가게 되었는데, 헤어지면서 범식이 장소의 두 손을 꼭 잡으면서 말했다.

"2년 뒤에 장 공의 어머님께 문안을 드리러 가겠네."

그들은 날짜를 미리 약속하고는 아쉬워하며 헤어졌다.

약속한 날이 다가오자 장소는 어머니에게 범식이 찾아올 때가 되었다며 음식을 장만해 달라고 청했다.

어머니가 미심쩍은 표정으로 물었다.

"헤어진 지 벌써 2년이나 되었고, 또한 천리 먼 곳에서 맺은 약속을 어떻게 믿겠느냐?"

"그렇지 않습니다. 범식은 의리가 있는 선비로 약속한 것을 꼭 지킬 것입니다."

"그렇다면 미리 좋은 술을 담가 놓아야겠구나."

약속한 날이 되자, 범식은 천리 길을 어김없이 달려왔다.

그런 뒤에, 장소가 중병에 걸려 매우 위태로운 지경에 이르렀다.

목숨이 다한 것을 느낀 장소는 길게 탄식하면서,

"범식의 얼굴을 보지 못하고 죽는 것이 한이로다."
라는 말을 남기고 눈을 감았다.

장소가 숨을 거둘 즈음 범식의 꿈속에 장소가 나타났다.

"범식아! 나는 명이 다해 이 세상을 떠나려 한다. 네가 나를 잊지 않았거든 내가 묻히는 날에라도 와 주려무나."

범식은 꿈에서 깨자, 서둘러 행장을 꾸려 길을 떠났다.

한편 장소의 집에서는 어느 순간 초상이 끝나고 상여가 무덤을 향해 가고 있었다. 그런데 웬일인지 상여가 움직이지를 않았다.

장소의 어머니가 잠시 상여를 내려놓도록 했다. 그 때 말을 타고 통곡을 하면서 달려오는 소복 차림의 젊은이가 있었다. 어머니는 그제야 비로소 범식을 못 잊어 상여가 떠나지 못하고 있다는 사실을 알았다.

범식은 상여 곁에 오자 관을 두드리며 울었다.

"장소야! 죽고 사는 길이 서로 다르니 어서 네 갈 길을 가거라! 여기서 우리는 영 이별이로구나."

범식이 한바탕 통곡을 한 다음 상여를 잡아끌자, 그제야 상여가 움직였다. 범식은 손수 무덤에 떼를 입히고 그 옆에 나무를 심은 다음에 고향으로 돌아갔다.

동국세시기

홍 석 모

지은이

? ~ ? 조선 말기의 학자. 호는 도애. 조선 순조 때 벼슬이 부사에 이르렀
으며, 저서로 우리 나라 연중행사 및 풍습을 설명한 《동국세시기》가 있다.

동국세시기

정월의 세시 풍속

설날(정월 초하루)

설날의 세시 풍속은 매우 다양하다. 서울 풍속에 사당에 제사지내는 것을 차례라 한다. 남녀 어린이들이 설빔을 입는 것을 세장이라 하고, 집안 어른들을 찾아뵙는 것을 세배라 한다. 또 이 날 시절 음식을 대접하는 것을 세찬이라 하고, 이 때의 술을 세주라 한다.

또 사돈끼리는 부인들이 친근감을 나타내는 뜻으로 하녀를 서로 보내어 새해 문안을 드린다. 이 하녀를 문안비라 한다. 그래서 조선 영조 때의 학자 이광려의 시에는 '뉘집 문안비가 문안하러 뉘집에 들어가는고'라는 구절이 있다.

각 관청의 아전이나 종, 영문의 장교와 나졸 등은 종이를 접어 이름을 쓴 명함을 관원이나 선생의 집에 드린다. 그러면 그 집에서는 대문 안에 옻칠한 쟁반을 놓아 두고 이를 받아들이는데, 이것을 세함이라 한다.

멥쌀가루를 쪄서 길게 만든 떡을 흰떡이라 한다. 이것을 얄팍하게 돈만큼씩 썰어서 장국에다 넣고 쇠고기나 꿩고기를 넣고 끓인 다음 고춧가루를 쳐서 먹는데, 이것이 떡국이다. 떡국은 제사에도 쓰고 손님 대접에도 사용하므로 세찬에 꼭 필요한 음식이다. 그래서 항간에서는 나이

를 물을 때 '떡국을 몇 그릇째 먹었느냐?'고 한다.

또 세찬 음식으로 시루떡이 있는데, 이것을 만드는 방법은, 먼저 멥쌀가루를 시루 안에 깐 다음 삶은 팥을 겹겹으로 편다. 시루의 크고 작음에 따라서 찹쌀가루를 몇 겹 더 넣어 찌기도 한다.

이 시루떡으로 새해에 신에게 빌기도 하고, 또 삭망전(상중에 있는 집에서 매달 초하룻날과 보름날에 지내는 제사)에 올리기도 한다. 또한 벽 위에 닭과 호랑이 그림을 붙여 액이 물러가기를 빌기도 한다.

남녀의 나이가 삼재를 당한 경우는 세 마리의 매를 그려 문기둥에 붙인다. 삼재법을 살펴보면 다음과 같다. 십이지의 사(뱀)·유(닭)·축(소)이 든 해에 태어난 사람은 해(돼지)·자(쥐)·축(소)이 든 해에 삼재가 들고, 신(원숭이)·자(쥐)·진(용)이 든 해에 태어난 사람은 사(뱀)·오(말)·미(양)가 드는 해에 삼재가 온다. 또 인(호랑이)·오(말)·술(개)년에 태어난 사람은 신(원숭이) · 유(닭) · 술(개)년에 각각 삼재를 만난다.

그래서 사람들은 이 복설을 믿고 세 마리 매를 그려 붙여 액땜을 하는데, 생년으로부터 9년 만에 삼재가 들기 때문에 이 삼재의 해에 해당하는 3년 동안은 모든 일을 꺼리고 삼가는 일이 많다.

또 설날에 행해지는 인사말을 덕담이라고 한다.

"올해는 꼭 과거에 합격하세요."

"승진하세요."

"건강하세요."

"부자되세요."

라는 등의 인사말을 하는데, 이러한 덕담은 새해를 맞아 서로 축하하는 말이다.

이른 새벽에 거리로 나가, 어디서 들려오든 상관 없이 처음 듣는 소리로 1년 동안의 길흉을 점치는데, 이를 청참이라 한다. 또한 사람들은 1년 동안 빗질할 때 빠진 머리카락을 모아 빗상자 속에 넣어 두었다가 설날 해질 무렵에 문 밖에서 태워 버리는데, 이는 나쁜 병을 물리치려는 뜻이다.

또 구전되는 얘기로 이런 것도 있다. 야광이란 귀신이 이날 밤 마을에 내려와 아이들의 신발을 모두 신어 보고 제 발에 맞으면 신고 가 버린다. 신발을 잃어버린 주인에게는 불길한 일이 생기므로, 아이들은 이 귀신을 두려워하여 모두 신을 감추고 불을 끄고 잔다. 그리고는 체를 마루 벽이나 뜰에다 걸어 둔다. 그러면 야광 귀신이 와서 이 체의 구멍을 세느라고 아이들의 신발을 훔칠 생각을 잊고 있다가, 새벽 닭이 울면 그대로 도망쳐 버린다.

스님들이 도심으로 들어와 북을 치는데 이를 법고라 한다. 모연문(부처님과 인연을 맺으라고 권고하는 글)을 펴놓고 방울을 울리며서 염불을 외면, 사람들이 다투어 돈을 던진다. 속담에 스님의 떡을 얻어 아이에게 먹이면 마마(천연두)를 곱게 치른다고 한다. 그러나 후에 조정에서 스님들의 도성문 출입을 금했으므로 성 밖에서나 이런 풍습이 남아 있다.

입춘

대궐 안에서는 춘첩자를 붙이고, 사대부와 일반 가정 및 상점에서도 모두 춘련을 붙여 축하한다. 이것을 춘축이라 한다. 또 이 날 단오날에 쓸 부적도 만든다. 여염집의 기둥이나 문설주에는 '입춘대길 건양다경'. '부모천년수 자손만대영' 등의 글을 적어 걸어 놓는다.

이 밖에 사대부 집에서는 새로 지어 붙이거나 혹은 옛 사람의 아름다운 글귀를 따다가 쓰기도 한다.

경기도 양근·지평·포천·가평·삭녕·연천 등지의 산골에서는 총아(움파)·산개(멧갓)·승검초를 올린다. 산개는 이른 봄 눈이 녹을 때 산 속에 자라는 말림갓, 즉 개자다. 더운물에 데쳐 초장에 무쳐서 먹으면 씁쓰레하고 매운 맛이 난다. 그래서 고기를 먹은 뒷맛으로 깔끔하여 좋다. 승검초는 움에서 기르는 당귀의 싹이다. 깨끗하기가 은비녀 같고 꿀을 찍어 먹으면 매우 좋다.

상원(정월 대보름)

정월 대보름에는 찹쌀을 쪄서 대추·밤·기름·꿀·간장 등을 섞은 다음, 잣을 박은 약밥을 만들어 먹는다. 약밥으로 제사를 지내기도 하는데, 이는 옛 신라의 풍속이다.

《동경잡기》에 다음과 같은 글이 실려 있다.

신라 소지왕 10년 정월 5일에 왕이 천천정에 행차했을 때, 날아온 까마귀가 왕을 일깨워 주었다. 그 때부터 우리 나라 풍속에 이 날을 까마귀에게 제사하는 날로 정해 찰밥(약밥)을 만들어 그 은혜에 보답한다. 그런데 지금 풍속에는 그것이 시절 음식으로 되었다.

　시골에서는 보름 전날 짚을 깃대 모양으로 묶어, 그 안에 벼·기장·피·조의 이삭을 집어넣어 싸고, 목화를 그 장대 위에 매달아 집 곁에 세우고 새끼를 늘어뜨려 고정시킨다. 이것을 화적이라 하는데 풍년을 기원하는 의미이다.

　산간 지방에서는 가지를 많이 친 나무를 외양간 뒤에 세우고 곡식의 이삭과 목화를 걸어 놓는다. 그러면 아이들이 새벽에 일어나 이 나무를 싸고 돌면서 노래를 부르며 소원을 빈다.

　나후직성(사람의 나이에 따라 그 해의 운수를 맡아 본다는 아홉 별의 하나)이 9년 만에 한 번씩 돌아오는데 남자는 열 살, 여자는 열한 살에 처음 든다고 한다. 이 때는 제웅을 만드는데, 이는 처용에서 온 것이다. 제웅은 짚으로 만드는데, 머릿속에다 동전을 집어 넣고, 보름 전날 밤 초저녁에 길에다 버려 액을 막는다. 그리하여 이 때가 되면 여러 아이들이 문 밖으로 몰려와 제웅의 머리를 파헤쳐 돈만 꺼내고 나머지는 정월 보름날 길에다 내동댕이친다. 이것을 제웅치기라고 한다.

　정월 보름 전에는 붉은 팥으로 죽을 쑤어 먹기도 한다. 또 보름날 이른 새벽에 종로 네 거리의 흙을 파다가 집 네 귀퉁이에 뿌리거나 부뚜막에 바르는데, 이는 재산 모으기를 바라는 뜻이다.

　정월 보름날이 되면 이른 새벽에 생밤·호두·은행·잣·무 따위를 깨문다. 이는 일 년 열두 달 무사태평하고 종기나 부스럼이 나지 않기를 바라는 뜻이다. 혹은 이빨을 단단하게 하기 위함이라고도 한다.

　또한 청주 한 잔을 데우지 않고 마시면 귀가 밝아진다고 하는데, 이를 귀밝이술이라고 한다. 또 참외 꼭지·가지 고지·시래기 등을 버리지 않고 말려 두었다가 삶아서 나물을 해 먹는다. 이것을 먹으면 여름에 더위를 덜 탄다고 한다.

오곡으로 잡곡밥을 지어 먹고 이웃과 나눠 먹기도 한다. 보름날은 종일 이 밥을 먹는데, 영남 지방에서도 이와 같이 행해진다. 이는 제삿밥을 나눠 먹는 옛 풍습을 따른 것이다.

또 아침 일찍 일어나 처음 만나는 사람을 급히 부른다. 상대방이 대답을 하면, 곧

"내 더위 사라."

고 한다.

이것을 '더위 판다'라고 하는데, 이렇게 해서 더위를 팔면 그 해는 더위를 먹지 않는다고 한다. 그러나 일반적으로 사람들은 아무리 불러도 대답을 하지 않는데, 이를 학이라 한다.

이 날은 개에게 밥을 먹이지 않는다. 개에게 밥을 먹이면 여름에 파리가 많이 꾀고 몸이 마르기 때문이다. 그래서 속담에, 굶는 것을 비유하여 '개 보름 쇠듯 한다'는 말이 있다.

아이들은, '집안 식구 아무개 무슨 생 몸의 액을 없앤다'는 글자를 연 뒤에 써서 그 연을 띄우다가 해질 무렵에 연의 줄을 끊어 버린다.

연 만드는 법은 대를 뼈로 하고 종이를 풀칠해 바른 다음 오색으로 칠을 한다.

연의 종류에는 바둑판 모양, 이마 부분에 먹칠을 한 것, 접시 모양, 방패 모양, 고양이 눈을 그린 듯한 것, 까치 날개 모양, 물고기 비늘을 닮은 것, 용의 꼬리같이 길게 만든 것 등이 있어 무척 다양하다.

또 얼레를 만들고 연줄을 붙들어 매어 공중에 띄워 바람의 방향대로 날리는데, 이를 풍쟁이라 한다.

중국의 연은 모양과 종류가 우리 나라에 비해 훨씬 다채롭고 화려하다. 중국 사람들도 겨울부터 늦봄까지 연날리기를 즐긴다.

겨울부터 정월 보름까지 시장에 가면 연을 파는 것을 볼 수 있다. 우리 나라에서 연날리기가 시작된 것은, 최영 장군이 탐라를 정벌할 때부터라는 속설이 있다.

연싸움을 할 때에는 연줄에 아교를 먹이기도 하고, 혹은 치자물을 노랗게 물들여 그 끝에 연을 달고 세차게 날린다. 그러다가 남의 연줄과 서로 얼리게 하여 남의 연줄을 끊고서는 우쭐하며 뽐낸다.

연싸움을 즐기는 사람은 연줄에다 돌가루나 구릿가루를 바른다. 또한 연싸움을 잘하여 이름을 떨치면, 부잣집이나 권세 있는 집에 불려가서 연날리기를 보여 주기도 한다.

매년 정월 보름이 오기 하루이틀 전에는 서울 청계천을 따라 연싸움 구경꾼이 인산인해를 이룬다. 연싸움을 하는 아이들은 남의 연줄을 끊느라 열을 올리고, 연싸움에 패해 연줄이 끊어진 아이는 달아나는 연을 뒤쫓아 하늘만 쳐다보고 가다가 개울에 빠지기도 한다. 또 담을 뛰어넘고 지붕 위를 넘어가기도 한다.

오색 종이를 여러 모양으로 풀칠하여 얄팍한 댓가지의 양쪽에 붙이고 그 댓가지의 가운데를 뚫고 못이 들어가도록 허술하게 박는다. 아이들은 그것을 들고 바람이 불어오는 쪽을 향해서 달린다. 그러면 그것이 뱅글뱅글 돈다. 이를 팔랑개비(바람개비)라 하는데, 팔랑개비는 시장에서도 많이 판다.

또 정월 보름날에 하는 놀이로, 땅을 파서 구멍을 만들고 어른이나 아이들이 편을 갈라 돈을 그 속에 넣고 큰 동전으로 그 구멍 안의 내기 물건을 맞히는 것이 있다. 그래서 맞힌 사람이 그 돈을 갖고 이긴 것으로 한다. 아이들은 혹 사금파리를 돈으로 삼아 던지기도 한다.

저녁이 되면 횃불을 들고 높은 산에 오르는데, 이것은 보름달을 맞이하기 위해서이다. 달을 가장 먼저 보는 사람에게 좋은 일이 생긴다고 한다. 또 달빛으로 점을 치기도 하는데, 달빛이 붉으면 가뭄이 오고, 희면 장마가 온다. 이날 밤에는 통행금지가 해제되어 밤새도록 돌아다니는 것을 허락해 준다.

서울에서는 사람들이 저녁 종소리를 들으려고 종로에 있는 종각으로 몰려든다. 종소리를 듣고 나서는 여러 곳의 다리로 가서 산책하는데, 밤새도록 행렬이 끊이지 않는다. 이를 다리밟기라 한다. 강에 놓인 다리와 사람의 다리가 발음이 같기 때문에 정월 보름날에 다리밟기를 하면 사람의 다리에 병이 생기지 않는다고 한다. 다리밟기는 주로 광통교와 수표교에서 가장 많이 이루어진다. 그리하여 사람들로 인산인해를 이루어 퉁소를 불고 북을 치며 온 장안이 떠들썩하다.

이수광의 《지봉유설》에는 '보름날 밤 다리밟기 놀이는 고려 때부터 시작되었다. 나라가 평안할 때는 매우 성하여 사람들이 줄을 이어서 밤새도록 그치지 않았으므로 법관들이 이를 금하고 잡아들이기까지 했다'는 기록이 있다. 그런 탓에 지금은 여자들이 다리밟기를 하는 행사가 없어졌다.

삼문 밖 사람들과 애오개 사람들이 만리재 위에 모여 서로 편을 갈라 혹은 몽둥이를 들고 혹은 돌을 던지며 고함을 지르면서 싸움을 벌이는데, 이를 편싸움이라 한다. 그리하여 패하여 달아나면 지게 된다. 삼문 밖 편이 이기면 경기도 지역에 풍년이 들고, 애오개 편이 이기면 다른 지방에 풍년이 든다는 말이 있다.

용산과 마포의 불량배들은 작당하여 애오개 쪽을 편든다. 그리하여 심할 때는 서로 이마가 터지고 팔이 부러지기도 하여 피를 보게 되는데도 싸움이 그치질 않는다. 그들은 비록 다치거나 죽기에 이르러도 후회하지 않는다. 그래서 사람들은 싸움 구경을 하다가 혹 다치기라도 할까 봐 무서워 피해 달아난다. 관청에서 이런 싸움을 못하도록 금지해도 이미 고질이 되어 버려 고쳐지지 않는다. 그 후 성안의 아이들도 이를 흉내내어 종로와 비파정(종로구 관수동에 있던 정자) 등에서 편싸움을 벌였고, 성 밖에서는 만리재와 우수재가 편싸움의 장소가 되었다.

안동 풍속에, 매년 정월 16일이 되면 부내에 사는 사람들이 중계천을 경계로 하여, 좌우 양편으로 갈라서 서로 돌을 던지고 싸워 승부를 결정하는 행사가 있다. 황해도와 평안도의 풍속에도 정월 보름날 돌을 던져 싸우는 돌싸움 놀이가 있다.

《당서》의 〈고려전〉에는 이런 글이 실려 있다.

'매년 초에 군중들이 대동강에 모여 노는데 물과 돌을 서로 끼었으며 던져서 밀리기를 두세 번 하다가 그친다.'

이것이 우리 풍속의 돌싸움의 시초로 여겨진다.

이 날은 또한 온 집안에 등불을 켜놓고 밤을 세우는데, 이것은 섣달 그믐날의 풍속과 비슷하다.

한 자가 되는 나무를 뜰 가운데에 세워 놓고, 자정이 가까워져서 달빛이 그 나무에 비치는 그림자의 길이로써 그 해의 농사를 점친다. 그림자가 여덟 치면 바람과 비가 순조로워 대풍이 들고, 일곱 치나 여섯 치가 되면 불길하고, 네 치가 되면 수해와 해충이 성하며, 세 치면 곡식이 여물지 않는다고 한다.

또 새벽에 닭이 처음으로 우는 소리를 기다려 그 우는 횟수를 세어 점을 치기도 한다. 닭이 열 번 이상 울면 그 해는 풍년이 든다고 한다.

또 황해도와 평안도 풍속에, 보름 전날 밤 닭이 울 때를 기다려 집집마다 바가지를 가지고 서로 다투어 정화수를 길어 온다. 맨 먼저 긷는 사람이 그 해의 농사를 제일 잘 짓는다고 한다.

충청도 풍속에는 횃불 싸움이 있다. 또 편을 갈라 줄다리기를 하는데, 끌려가지 않는 편이 승리하며, 그 팀은 그 해 풍년 농사를 짓게 된다는데, 이는 경기 지방 풍속도 같다.

2월의 세시 풍속

삭일(초하루)

정월 보름날에 세워 두었던 벼가릿대에서 벼이삭을 내려다가 흰떡을 만든다. 크게는 손바닥만하게, 작게는 계란만하게 만드는데, 콩을 쪄서 소(고명)를 만들어 그 안에 넣고 시루 안에 솔잎을 겹겹이 깔아서 찐다. 푹 익은 다음 꺼내어 물로 씻고 참기름을 바르는데, 이것을 송편이라 한다. 이 송편을 종들에게 나이 수대로 먹인다. 농사일이 이 때부터 시작되므로 열심히 일하라는 뜻으로 먹이는데, 그래서 머슴날이라고도 한다. 떡집에서는 팥, 까만 콩, 푸른 콩을 소로 넣거나 혹은 꿀을 섞어 싸기도 하고 혹은 불린 대추와 삶은 미나리를 넣어 송편을 만든다.

온 집안을 깨끗이 청소하고 종이를 잘라, '향랑각시는 속히 천 리 밖으로 물러가라'는 글자를 써서 서까래에 붙인다. 향랑각시는 노래기를 미화해서 표현한 것으로, 노래기를 물리치는 행사이다.

영남 지방의 풍속에 집집마다 신에게 제사 지내는 행사가 있는데, 이것을 영등신이라 한다. 무당에게 신이 내리면 무당은 동네를 돌아다니고 사람들은 다투어 무당을 맞이하고 즐긴다.

제주도 풍속에는 2월 초하루에 장대 12개를 세워 놓고 신에게 제사를 지낸다. 또 나무로 말머리 모양을 만들어 채색 비단으로 꾸미고 말뛰기 놀이를 하기도 한다. 신을 즐겁게 해 주기 위해서인데 이런 놀이는 보름까지 계속된다. 이를 영등이라고 한다.

3월의 세시 풍속

삼짇날

예로부터 3이 두 번 겹친 절기라서 양기가 세다고 믿는다. 강남 갔던 제비가 돌아온다는 날로 봄의 시작을 알린다.

찹쌀가루를 반죽해서 둥근 떡을 만들어 그 위에 진달래 꽃잎을 붙여 지져 먹는데, 이를 화전이라 한다. 또 녹두가루를 반죽하여 익힌 것을 가늘게 썰어 오미자 국에 띄우고 꿀을 섞고 잣을 곁들여 내는데, 이를 화면이라 한다. 화면은 진달래꽃을 녹두가루에 반죽하여 만들기도 한다. 또한 녹두로 국수를 만들어 붉은 물을 들이기도 하는데, 이것을 꿀물에 띄운 것을 수면이라 한다. 이것들은 시절 음식으로서 제사에도 쓰인다.

진천에는 3월 3일부터 4월 8일까지 여자들이 무당을 데리고 용왕당과 삼신당에 가서 아들을 낳게 해 달라고 비는 풍속이 있다.

한식

동지로부터 105일째 되는 날이 한식이다. 서울 풍속에 설날 · 한식 · 단오 · 추석의 네 명절에 산소에 제사를 드린다. 술 · 과일 · 포 · 식혜 · 떡 · 국수 · 탕 · 적 등의 음식을 제삿상에 올리는데, 이를 절사(계절에 따라 지내는 제사)라고 한다. 가풍에 따라 약간씩 다르지만 한식과 추석에 가장 성해서, 이 때가 되면 사람들이 성묘를 하기 위해 교외로 몰린다.

한식의 유래에는 여러 가지 속설이 있으나, 그 가운데서 가장 널리 알려진 것이 개자추 전설이다.

중국 진나라의 문공이 국란을 당해 개자추를 비롯한 여러 신하를 데리고 국외로 탈출해 방랑할 때였다. 배가 고파서 거의 죽게 된 문공을 개자추가 자기 넓적다리 살을 베어 구워 먹여 살린 일이 있었다. 뒤에 왕위에 오른 문공이 개자추의 은덕을 생각해 높은 벼슬을 주려 했으나, 개자추는 벼슬을 마다하고 산 속에 숨어 버렸다. 개자추를 산에서 나오게 할 목적으로 산에 불을 질렀으나, 그는 끝까지 나오지 않고 홀어머니와 함께 버드나무 밑에서 불에 타 죽고 말았다. 그 뒤, 그를 애도하는 뜻에서 불을 금하고 찬 음식을 먹는 풍속이 생겼는데, 중국 사람들은 이 날을 냉절, 또는 숙식이라고 한다.

농가에서는 이 날부터 논밭에 씨를 뿌리기 시작한다.

4월의 세시 풍속

초파일

8일은 석가모니의 탄생일이다. 우리 나라 풍속에 이 날 등불을 켜므로 등석이라 한다. 석가탄신일이 되기 며칠 전부터 마을에서는 각기 등대를 세우고, 그 꼭대기에 꿩의 꼬리를 장식하고 채색 비단으로 깃발을 만들어 단다. 그리고 집집마다 식구 수대로 등을 매달고, 그 밝은 것을 좋게 여긴다. 이러기를 초파일 다음 날까지 한다.

《고려사》에 이런 기록이 있다.

'우리 나라 풍속에 4월 초파일이 석가의 탄생일이므로 집집마다 연등에 불을 켜 단다. 이 날이 되기 수일 전부터 아이들은 종이를 잘라 등대에 매달아 깃발을 만들고 성안의 거리를 두루 돌아다니면서 쌀이나 돈을 구하여 비용으로 쓰니, 이를 호기라 한다. 따라서 지금 풍속에 등대에 기를 다는 것은 호기의 풍습이 남아 있기 때문이다.'

시장에서 파는 등은 집에서 만든 것에 비해 모양이 다양하고 화려하며 값이 비싸다. 종로 거리에는 이 등들을 보려고 사람들이 길게 늘어서 담을 이룬다. 이 날 저녁에는 전례에 따라 야간 통행금지가 해제된다.

온 장안의 사람들이 남산과 북악산 기슭에 올라가 등불을 켜 놓은 화려한 광경을 구경한다. 혹 어떤 이는 악기를 들고 거리를 쏘다니며 논다. 그리하여 서울 장안은 사람의 바다를 이루고 불야성을 이룬다. 이렇게 해서 온 거리가 밤새도록 떠들썩하다.

5월의 세시 풍속

단오

양이 강한 '5'라는 숫자가 겹치는 이 날은 1년 중 양기가 가장 센 날로 여겨진다.

여자들은 창포탕을 만들어 세수를 하고, 붉은색과 녹색의 옷을 입는다. 또 창포의 뿌리를 깎아 비녀를 만들되 '목숨 수'자나 '복 복'자를 새기고 끝에 연지를 발라 머리에 꽂는다. 이는 재액을 물리치기 위함인데, 이를 단오장(단오에 치장하는 것)이라 한다.

또 그네뛰기를 많이 하는데,《고금예술도》에 이런 말이 있다.

'북쪽 오랑캐들이 한식날 그네뛰기를 하여 가볍게 뛰어오르는 연습을 한다. 그것을 후에 중국 여자가 배운 것이다.'

그런데 그러한 풍속이 지금은 단오날로 옮겨진 것이다.

젊은이들은 남산의 왜장이나 북악산의 경복궁 후문 뒤에 모여 씨름판을 벌인다. 두 사람이 서로 상대하여 구부리고 각자 오른손으로 상대방의 허리를 잡고 왼손으로 상대편의 오른쪽 다리를 잡고 동시에 일어나며 상대를 번쩍 들어 팽개친다. 그리하여 밑에 깔리는 사람이 지게 된다. 단오가 되면 서울뿐 아니라 전국적으로 씨름대회가 열린다.

단오를 다른 이름으로 수릿날이라 하는데, 수릿날의 수리는 술의가 변한 말이다. 술의란 우리 나라 말의 수레이다. 이 날 쑥잎을 따다가 짓이겨 멥쌀가루 속에 넣고 녹색이 나도록 반죽을 하여 떡을 만든다. 쑥떡을 수레바퀴 모양으로 만들어 먹으므로 수릿날, 즉 수렛날이라고 한 것이다. 떡집에서는 시절 음식으로 이 떡을 판다.

또 영남 김해 풍속에, 매년 4월 초파일부터 단오날까지 아이들이 무리를 지어 돌싸움 연습을 한다. 그러다가 단오날에 이르면 청년들이 모두 모여 좌우로 편을 갈라서 깃발을 세우고 북을 치며 소리를 지르면서 서로 돌을 던진다. 죽는 사람이 생기기도 하지만 고을 수령도 이를 그만두게 할 수가 없다.

6월의 세시 풍속

유두

6월 15일을 유두라고 하는데, 《김극기집》에 이런 말이 있다.

'신라 때 경주 풍속에 6월 보름이 되면 동쪽으로 흐르는 물에 머리를 감아 불길한 액을 씻어 버린다. 그리고 여럿이 모여 액막이로 술을 마시는데 이를 유두연이라 한다. 이것을 따라 지금은 우리 고유 명절이 되었다. 그래서 이 날이 되면 음식을 차려 야외로 나가 시를 짓고 잔을 돌리며 냇물에서 고기도 잡고 발도 씻으면서 무더위를 물리친다. 맑은 물이나 폭포에서 머리나 몸을 깨끗이 씻고 종일 서늘하게 지내면 그 해 여름에는 더위를 먹지 않고 나쁜 일을 물리치는 효과가 있다.'

유두의 음식을 살펴보면, 먼저 쌀가루를 쪄서 긴 다리처럼 만들어 잘게 썬 다음 구슬같이 만든다. 이것을 꿀을 탄 얼음물에 띄워서 먹고 제사에도 쓰는데, 이를 수단이라 한다. 또 밀가루를 반죽하여 콩이나 깨에 꿀을 섞은 소를 넣어 찌는데, 이를 상화병이라 한다.

밀가루로 구슬 같은 모양을 만들고, 거기다 오색 물감을 들여 세 개를 이어 색실로 꿰어 차고 다니거나 문설주에 걸어 매어 액을 막기도 하는데, 이를 유두국이라 한다.

한편 개를 삶아 파를 넣고 푹 끓인 것을 개장국이라 한다. 닭이나 죽순을 넣으면 더욱 좋다. 개장국에 고춧가루를 넣고 밥을 말아서 시절 음식으로 먹는다. 그렇게 먹고 땀을 흘리면 더위를 물리치고 허한 몸을 보할 수가 있다. 시장에 나가면 이것을 많이 볼 수 있다.

《사기》에 이런 기록이 있다.

'진덕공 2년에 비로소 삼복 제사를 지냈는데, 성안 사대문에서 개를 잡아 해충의 피해를 막았다.'

그러므로 개 잡는 일은 곧 복날의 옛 행사요, 지금 풍속에도 개장국이 삼복 중의 가장 좋은 음식으로 여겨진다.

7월의 세시 풍속

칠석

7일은 견우와 직녀가 일 년에 한 번 만난다는 칠석이다.

이 날이 지나고 찬바람이 불기 시작하면 밀가루 음식을 찾아볼 수 없기 때문에, 각 가정에서는 마지막으로 밀 음식인 밀국수와 밀전병을 만들고 또 햇과일을 차린다.

칠석제, 또는 칠성제라고 해 장독대 위에 정화수를 떠놓고 가족들의 무병장수를 빌며, 처녀들은 별을 보며 바느질 솜씨가 좋게 해 달라고 빈다. 마을에서는 서낭당 등에서 자녀의 무병과 장수를 빌기도 한다.

장마가 지난 때라 그 동안 축축해진 옷과 책을 볕에 쬐는 거풍의 풍속도 있다.

칠석 차례라고 해 철이 이르게 익은 벼를 사당에 바쳤다. 이북 지방에서는 이 날 고사를 지내거나 밭에서 풍작을 비는 밭제를 지내기도 한다.

중부 지방에는 칠석맞이라는 무속이 있다. 자녀를 단골 무당에게 수양 자녀로 맡겼던 부인들이 이 날 그 무당을 찾아가면, 무당은 자녀를 위해 만든 명다리를 꺼내 바람을 쏘인 뒤에 자녀의 무사 성장을 기원해 준다. 그 사이 부인들은 상에 쌀을 놓고 촛불을 켜놓은 다음 역시 자녀의 무사 성장을 기원한다.

8월의 세시 풍속

추석

15일을 추석 또는 가배라고 하는데, 이는 신라 풍속에서 비롯된 것이다. 신라 제3대 유리왕 때에 도읍 안의 부녀자를 두 패로 나누어, 각기 왕녀가 거느리고 길쌈 실력을 겨루었다. 7월 15일부터 날마다 일찍이 뜰 안에 모여 밤 10시까지 길쌈을 하다가 8월 15일에 그 성적을 살폈다. 그래서 진 편에서 술과 음식을 장만해 이긴 사람들을 대접했다.

이 때 진 편의 한 여자가 일어나 춤을 추면서 탄식하되 '회소 회소' 하니 그 소리가 애처롭고 아담하여 그 소리를 따라 노래를 지었다. 이 노래를 '회소곡'이라 하는데, 지금도 이것이 행해지고 있다.

추석이 되면 차례를 지내고 성묘를 한다. 각 가정에서는 일찍 일어나 새옷으로 갈아입고, 전날 만든 술과 떡, 햇과일로 제사를 지낸다. 이 날은 머슴이나 거지라도 모두 부모 묘소에 가서 성묘를 한다. 주인은 머슴에게 새옷과 신발, 허리띠까지 해 주는데 이를 '추석치레'라고 한다. 산소의 잡초는 대개 추석 전에 베는데, 이를 벌초라 한다.

제주도에서는 매년 8월 보름날 사람들이 모여 노래하고 춤추며, 좌우로 편을 갈라 큰 줄의 양쪽을 잡아당겨 승부를 겨룬다. 줄이 중간에서 끊어져 양편이 모두 땅에 엎어지면 구경꾼들이 크게 웃는다. 이를 줄다리기라 한다.

충청도에서는 추석 다음 날 씨름대회를 열고 술과 음식을 차려 먹고 즐긴다.

떡집에서는 햅쌀로 송편을 만들고 또 무와 호박을 섞어 시루떡도 만든다. 송편은 햅쌀로 만드는데, 송편 속에 넣는 콩, 팥, 밤, 대추 따위도 모두 그 해에 수확한 것을 쓴다. 추석 전날 가족들이 모여 송편을 만드는데, 송편을 예쁘게 만들면 예쁜 배우자를 만나게 되고, 밉게 만들면 못생긴 배우자를 만나게 된다고 해서 처녀, 총각들은 예쁘게 만들려고 솜씨를 뽐낸다.

또 찹쌀을 찐 다음, 절구에 쳐서 떡을 만들고, 볶은 콩가루나 누런 콩가루, 깨소금 등을 묻혀서 떡을 만드는데, 이것을 인절미라 한다. 또 찹쌀가루를 쪄서 계란같이 둥근 떡을 만들고 삶은 밤을 꿀에 개어 붙이는데, 이것을 율단자라 한다.

9월의 세시 풍속

중양절

9일이 해당한다.

빛이 고운 노란 국화를 따다가 찹쌀떡을 만든다. 만드는 법은 3월 삼짇날의 진달래 화전과 같은데, 이것을 국화전이라 한다.

배와 유자와 석류와 잣을 잘게 썰어 꿀물에 탄 것을 화채라 하는데, 이것도 시절 음식으로 제사에 쓴다.

서울 사람들은 이 날 남산과 북악산에서 마시고 먹으며 즐긴다. 청운동 부근이나 남한산·북한산·도봉산·수락산 등이 단풍을 구경하기에 좋다.

10월의 세시 풍속

상달

음력 10월을 상달이라고 하는데, 이는 일 년 중 가장 좋은 달이란 뜻이다. 새로 수확한 곡식을 신에게 올리기 가장 좋은 달이라 여겨, 민간에서는 무당을 데려다가 집을 보호해 주는 성주신을 맞이해 떡과 과일을 차려 놓고 집안의 평안을 빈다. 조상 묘에 시제를 지내는 것도 이 때에 행한다.

11월의 세시 풍속

동지

동짓날을 아세, 즉 작은 설이라 한다. 동지에는 붉은 팥으로 죽을 쑤어 먹는다. 죽에는 찹쌀로 새알심을 둥글게 빚어 넣는데, 나이 수대로 넣어 주기도 한다. 새알심의 맛을 좋게 하기 위해 꿀에 재어 먹기도 하고, 때맞추어 제삿상에 올리기도 한다. 또한 나쁜 귀신을 쫓기 위해 팥죽 국물을 벽이나 장독, 대문 등지에 뿌린다. 팥은 색이 붉어 양색이므로 음귀를 쫓는 데 효과가 있다고 믿는다.

《형초세시기》에 이런 기록이 있다.

'공공씨(옛날 중국에서 형벌을 받았던 신화적 인물)가 재수 없는 아들을 하나 두었는데, 그 아들이 동짓날에 죽어 역질귀신이 되었다. 그 아들이 생전에 팥을 두려워했으므로, 동짓날 팥죽을 쑤어 역귀를 물리치는 것이다.'

서울의 옛 풍속에, 단오날에는 관원이 아전에게 부채를 나누어 주고 동짓날에는 아전이 관원에게 달력을 바치는데, 이를 하선동력이라 한다. 그러면 관원은 그 달력을 자기 고향의 친지나 묘지기, 농토 관리인에게 나누어 준다.

메밀국수를 무김치·배추김치에 말고 돼지고기를 섞은 것을 냉면이라 한다. 또 잡채와 배·밤·쇠고기·돼지고기 썬 것과 기름·간장을 메밀국수에다 섞은 것을 골동면이라 한다. 냉면은 평안도 냉면이 가장 맛이 좋다.

12월의 세시 풍속

제석

설달 그믐, 즉 12월 31일이 되면 사대부 집에서는 사당에 참례한다. 또 친척 어른들을 찾아다니며 묵은 해 문안을 드리는데, 이것을 묵은 세배라 한다. 그래서 이 날은 초저녁부터 밤중까지 길거리에 등불의 행렬이 끊이지 않는다.

대궐 안에서는 제석 전날에 대포를 쏘는데, 이를 연종포라 한다. 또 제석과 설날에 폭죽을 떠뜨리는 것은 귀신을 놀라게 하기 위함이다.

제석 하루 이틀 전부터는 소를 함부로 잡지 못하게 하던 나라의 법을 풀어 준다. 이는 백성들이 설날에 쇠고기를 맘껏 먹으라는 뜻이다.

인가에서는 다락·마루·방·부엌에 모두 등잔을 켜 놓는다. 흰 사기 접시에다 실을 여러 겹 꼬아 심지를 만들고 기름을 부어 외양간·변소까지 환하게 켜 놓고는 밤새도록 자지 않는데, 이를 수세, 즉 해지킴이라 한다.

한 해의 마지막 날에 잠을 자면 눈썹이 하얗게 된다는 말이 있다. 그래서 어린아이들은 이 말에 속아 잠을 자지 않는다. 만일 자는 아이가 있으면 다른 아이가 분을 개어 자는 아이의 눈썹에 바르고 깨워서 거울을 보게 하며 놀린다.

작품 알아보기
(고전 문학)

〈왕오천축국전〉은 통일신라 때의 승려 혜초가 지은 인도 여행기로, 8세기 무렵의 중국을 비롯한 인도, 파키스탄 등 서아시아 국가들의 정세를 파악할 수 있다. 또한 혜초의 인간적 면모와 불교적 업적, 세계관을 엿볼 수 있다.

〈표해록〉은 1488년(성종 19년) 최부가 지은 표해 기행록으로, 바다에 표류하며 겪은 온갖 고난과, 중국 땅에 도착하여 경험한 많은 일들을 생생한 현장감을 살려 기록하였다.

〈서포만필〉은 김만중의 수필집으로 상하 2권이며 여러 이본이 전한다. 불교에 대한 폭넓은 식견과 주자에 대한 비판적 사고가 드러나 있다. 특히 자기 나라 말로 쓰지 않은 시문은 앵무새가 사람의 말을 흉내내는 것에 불과하다라고 하여, 우리 나라 문학의 우수성과 가치를 높이 평가한 주체적인 발상이 담겨 있다.

〈요로원야화기〉는 두 인물의 대화를 통하여 양반층의 횡포와 사회의 부패를 보여 주는 것이 특징이다. 양반들의 실태와 교만성을 서울 양반에게 빗대어 지적한다거나, 양반의 허세에 초라한 향인의 모습으로 도전하는 풍자성은 이 작품이 논픽션 형태이면서도 문학적 기법을 갖추고 있음을 시사한다.

〈오륜행실도〉는 정조21년(1797년)년에 나온 책으로, 〈삼강행실도〉와 〈이륜행실도〉가 합쳐져 한 권의 책으로 묶여졌다. 효자·충신·열녀·형제애·우정을 주제로 하여 짤막한 이야기들을 소개하였다.

〈동국세시기〉는 우리 나라의 연중행사와 풍속을 설명한 세시 풍속집으로, 조선 시대의 풍습이 지금까지 이어지고 있음을 알 수 있다.

논술 길잡이
(고전 문학)

❶ 아래 그림은 〈표해록〉에 나오는 그림 중 하나이다. 어떤 장면이었는가를 떠올려 본 후 그 앞뒤 내용을 간단히 써 보자.

논술 길잡이
(고전 문학)

❷ 〈오륜행실도〉를 읽고, 가장 인상에 남는 인물을 골라, 왜 그런지 이유를 간단히 써 보자.

::

::

::

::

::

❸ 〈동국세시기〉에 나오는 세시 풍속을 오늘날과 비교해 본 후, 오늘날까지 전해 내려오는 풍속과 그렇지 않은 풍속을 구별해서 써 보자.

::

::

::

::

::

논 · 술 · 한 · 국 · 대 · 표 · 문 · 학 〈전60권〉

펴 낸 이   정재상
펴 낸 곳   훈민출판사
주   소   경기도 고양시 덕양구 원당동 416번지
대표전화   (031)962-3888
팩   스   (031)962-9998
출 판 등 록 제395-2003-000042호